Objectif
poids
santé
APRÈS 40 ANS

Les Éditions Caractère inc.
5800, rue Saint-Denis, bureau 900
Montréal (Québec) H2S 3L5 Canada
editionscaractere.com

Recherche et rédaction : Luc Gonthier
Révision : Emmanuelle Mozayan-Verschaeve
Révision scientifique : Kim Arrey, diététiste-nutritionniste, B.Sc., Dt.P.
Correction : Maryse Froment-Lebeau
Conception de la couverture, de la grille et mise en page : Geneviève Laforest
Photos de Saskia Thuot : Benoît Desjardins Photographe
Autres photos : Shutterstock

ISBN : 978-2-89642-930-1

Imprimé au Canada
© Les Éditions Caractère inc.
Dépôt légal – Bibliothèque et Archives nationales du Québec, deuxième trimestre 2014
Bibliothèque et Archives Canada

Les Éditions Caractère inc. remercient le gouvernement du Québec – Programme de crédit d'impôt
pour l'édition de livres – Gestion SODEC.

Nous reconnaissons l'aide financière du gouvernement du Canada par l'entremise
du Fonds du livre du Canada pour nos activités d'édition.

Nous remercions également la SODEC de son appui financier (programmes Aide à l'Édition
et Aide à la promotion).

Note :
L'information contenue dans ce livre est, autant que nous le sachions, véridique et complète.
Ce livre ne remplace, n'annule ou n'entre en conflit d'aucune façon avec les conseils que votre
propre médecin vous prodigue. Les décisions ultimes concernant les soins doivent être prises par
vous et votre médecin. Nous vous recommandons fortement de suivre ses conseils. L'information
contenue dans ce livre est générale et vous est offerte sans garantie de la part des auteures et
des Éditions Caractère.

Saskia Thuot
en collaboration avec Kim Arrey, diététiste-nutritionniste, B.Sc., Dt.P.

Objectif
poids
santé
APRÈS 40 ANS

ÊTRE BIEN DANS SA PEAU

| Comprendre son métabolisme | Stratégies et exercices faciles | Plaisir de manger … et compromis! |

Avant-propos

Quel bonheur de vous retrouver ici, quelle joie de vous offrir ce merveilleux livre, un ouvrage qui, je le souhaite de tout mon cœur, deviendra une référence, un ami, un outil, et qui vous accompagnera longtemps. Ce livre, nous l'avons créé pour qu'il vieillisse bien, tout comme vous !

Le 7 mars 2013, j'ai célébré mes 40 ans, et oui, je l'avoue, ça m'a donné un grand coup. En fait, j'ai réalisé qu'il me restait plus ou moins le même nombre d'années à vivre… et je veux les vivre en santé. Je dis « Je veux » parce que je fais le choix de mettre toutes les chances de mon côté pour être bien. J'ai longtemps cru que j'étais en quête de bonheur, mais aujourd'hui, je suis plutôt en quête de bien-être.

J'ai envie d'être en accord avec qui je suis et comment je suis. J'ai envie de me regarder et de sourire. En posant un regard sur ma vie de petite fille, d'adolescente, de jeune femme et de maman, je vois combien l'image corporelle est un sujet auquel on attache beaucoup d'importance. Ne trouvez-vous pas qu'on parle souvent de notre corps, mais aussi de celui des autres ? « J'ai engraissé… », « J'ai des vergetures et de la cellulite… », « As-tu vu de quoi Unetelle a l'air ?…, a-t-elle de la cellulite ou des vergetures ? »

Je ne sais plus combien de fois on m'a parlé de mon poids. Des centaines, sûrement. Bien sûr, le fait de travailler à la télé m'expose, et ma présence sur les médias sociaux fait de moi une cible facile à atteindre. Il m'est arrivé dans la même journée de recevoir deux messages complètement différents. D'une part, une femme m'a écrit ceci (et je cite) : « Saskia, t'es grosse, trop grosse pour être dans ma TV, peux-tu nous débarrasser de ton gros c… ? » Oui, oui, vous devinez bien le dernier mot de ce message très courtois. Vous pouvez imaginer combien j'étais blessée. Quelques heures plus tard, une autre femme m'écrit qu'elle est heureuse de me voir à la télé, que je suis un exemple de santé, de confiance en soi. Enseignante, elle me cite auprès des jeunes filles… Bref, un message touchant qui m'a fait tellement plaisir et qui a surtout confirmé mon souhait de continuer à parler d'estime de soi et de mieux-être.

Je désire aussi qu'on arrête de se comparer. Le modèle de beauté qu'on nous propose est tout simplement utopique. Nous ne pouvons pas être tous pareils ! Imaginez un magasin de bonbons où on trouverait des confiseries d'une seule grosseur, d'une seule saveur, d'une seule couleur. Ce serait plutôt ennuyant. Même chose pour nous ! Chacun ses forces, ses faiblesses, ses atouts et ses défauts physiques, à nous de nous en accommoder et d'en tirer le meilleur parti.

Dans la vingtaine, j'ai suivi les conseils d'une nutritionniste : on a regardé toutes mes habitudes de vie, j'ai fait de nombreux changements dans mon alimentation et j'ai senti une énorme amélioration dans mon énergie : je me sentais invincible !

Mais ça, c'était avant les enfants. Après deux grossesses, j'ai trouvé ça très difficile de retrouver la forme, surtout après la deuxième, où j'ai pris plus de 80 livres. J'avais le souffle court, les piles à plat, le moral dans les talons ! J'ai observé les diètes populaires, j'en ai testé, mais sans succès. J'étais souvent étourdie et encore plus faible : je devais donc absolument trouver une solution pour adopter un régime alimentaire et un style de vie qui ME convenaient.

Je me suis inspirée de différentes méthodes et de mon gros bon sens. Plus de légumes et de fruits, de poissons et de bonnes viandes et... des aliments plaisir à l'occasion ! De toute manière, quand je me prive, j'ai juste envie de compenser par des gâteries. J'ai donc équilibré ma diète à ma façon. Cela s'est fait lentement mais sûrement, et ces habitudes de vie sont maintenant stables et adaptées à ma situation.

Non, je n'ai pas retrouvé ma silhouette de jadis après avoir donné naissance à ma fille. Il y a longtemps que j'ai mis les lignes de côté. Je prends plutôt soin de mes courbes ! Avec deux jeunes enfants à la maison, mon rythme de vie a changé, et j'ai dû trouver le moyen de penser quand même à moi dans mon horaire déjà bien rempli. Prendre soin de moi maintenant est un investissement pour les années à venir.

Le désir d'être belle

J'ai lu que 59 % des femmes de 18 à 64 ans ressentent le besoin d'être belles. Et le désir d'être bien dans sa peau, lui ? Et la santé ? La beauté est

éphémère, tandis que notre corps nous accompagne toute notre vie : il mérite beaucoup d'amour. Il est notre moteur, il est précieux et fragile. Et l'aimer, c'est l'écouter, le respecter, le faire bouger et bien le nourrir ! Le véritable rapport à l'aspect physique devrait se définir en ces termes.

Je mentirais si je vous disais que je suis toujours en paix avec mon apparence physique. Il m'arrive de rêver à un corps disons… plus à la mode. Puis, je me ressaisis : après tout, si j'étais autrement, je ne serais pas Moi. Alors, je rends hommage à mon corps qui me permet de rire, de danser, d'enfanter, d'aimer, de donner des câlins, de profiter de tous les petits bonheurs de la vie… et d'écrire ce livre ! Nous espérons qu'il saura vous accompagner, vous motiver sans vous culpabiliser, bien au contraire, notre objectif étant de vous aider à faire les bons choix. Ainsi, vous mettrez toutes les chances de votre côté pour grandir (et non pas vieillir !) en santé.

Table des matières

Chapitre

1

COMMENT EXPLIQUER LA
PRISE DE POIDS ?

Vous avez toujours 20 ans dans votre tête ? C'est bien ! Si seulement votre corps de quadragénaire pouvait suivre la cadence !...

Oui, votre morphologie peut changer avec l'arrivée de la quarantaine ; vous avez peut-être réalisé que votre niveau d'énergie a baissé ces derniers mois, à moins que vous ayez constaté que votre corps, hé, hé !, n'est plus tout à fait aussi souple qu'il l'a déjà été...

Mais rassurez-vous : ces changements ne surgissent pas chez tous les quadragénaires, et surtout pas tous en même temps sitôt vos bougies soufflées ! Pour peu que vous en compreniez les causes et que vous ajustiez vos comportements alimentaires et certaines de vos habitudes de vie, ils peuvent même s'effectuer en douceur.

Mais avant de passer au plan d'action, il faut comprendre quelles sont les raisons qui vous font prendre du poids. Vous allez voir, ce n'est pas toujours la faute à la deuxième part de gâteau...

Les facteurs de changement

Les facteurs psychologiques

Les psychologues considèrent que, pour la majorité, la quarantaine est la seconde crise en importance à traverser après celle de l'adolescence.

L'adolescence vous oblige à établir des repères qui favoriseront l'émergence de votre personnalité et à définir vos ambitions. Vous construisez alors votre identité sociale. L'arrivée de la quarantaine a plutôt tendance à vous recentrer sur vous-mêmes de manière à ce que vous puissiez profiter pleinement de toutes les dimensions de la vie que vous avez négligées jusque-là, trop occupé que vous étiez à construire votre vie personnelle, familiale et professionnelle. Vous cherchez dès lors l'équilibre entre votre vie sociale et votre identité profonde.

Si ces questionnements varient en intensité selon le caractère et la personnalité de chacun, certains iront jusqu'à remettre en question des pans importants de leur vie.

C'est le cas notamment lorsque l'homme ou la femme s'interrogent sur la vitalité de leur couple ou sur l'énergie qu'ils doivent consacrer à la famille. D'un côté, leurs enfants, conçus plus tard, sont encore très jeunes ou au seuil de l'adolescence, avec tous les soucis que cela entraîne. De l'autre, il y a leurs propres parents qui arrivent à un âge où ils sont plus vulnérables et dont il faut s'occuper.

Par ailleurs, plusieurs souhaitent profiter de ce moment pour s'interroger sur la pertinence de leurs choix professionnels.

Enfin, c'est souvent à l'aube de la quarantaine que vous reprenez conscience de votre image corporelle et que, bien souvent, vous en êtes insatisfait. Vous le serez d'autant plus si votre entourage immédiat privilégie le paraître et que vous jugez ne pas être à la hauteur de leurs attentes en vous basant sur les impératifs du corps idéal que vous imposent les médias.

Difficile dans un tel contexte d'être bien dans sa peau !

Je me souviens l'année de mes 39 ans... Je travaillais beaucoup et j'avais peu de temps pour moi. Je voyais la quarantaine arriver, avec mes deux enfants en bas âge, et je croyais que plus jamais je ne retrouverais mon énergie d'avant. Sans compter que je me trouvais moche! C'était donc la bonne période pour faire des changements dans ma vie, dont je compte bien profiter pour le reste de mes jours. Maintenant que j'ai franchi le cap des 40 ans, le regard que je pose sur moi-même est beaucoup plus doux qu'à 39 ans!

Toutefois, si ça peut vous rassurer, sachez que des études empiriques récentes démontrent que cette mésestime de soi, dont le pic se situe au milieu de la quarantaine, est largement répandue et partagée, peu importe que l'on soit riche ou pauvre, seul ou en couple, et qu'on la retrouve sur tous les continents et dans toutes les cultures! Heureusement, cette période de mésestime de soi est généralement de courte durée!

Ah! le stress!

Tous les questionnements et bouleversements ont pour principale consé-quence d'être des sources de stress. Saviez-vous que le stress joue un rôle métabolique sur un éventuel gain de poids? En effet, il induit un flot de cortisol, qui, à son tour, stimule l'insuline. Or, cette dernière encourage le stockage des graisses, spécialement dans la région abdominale. De plus, le cortisol libéré a pour effet d'augmenter la sensation de faim. Faute de maîtriser son stress, on en vient donc à « manger ses émotions »!

N'oubliez pas : tout le monde ne vit pas la crise de la quarantaine avec la même intensité. Il peut être tout à fait normal, et même salutaire, de se remettre en question à ce moment qui correspond au milieu de notre vie.

Les facteurs physiques

La quarantaine entraîne souvent son lot de changements physiques. D'abord, votre métabolisme de base ralentit progressivement et exige donc un apport calorique moins important. Conséquemment, si vous gardez les mêmes habitudes alimentaires et le même niveau d'activité physique, il y a de fortes chances que vous ayez à composer à court terme avec un surpoids.

En fait, le métabolisme de base commence à diminuer de 1 à 2 % par décennie dès la vingtaine. Au moment où vous atteignez 40 ou 50 ans, cette diminution commence à s'accumuler et votre taux métabolique peut ralentir suffisamment pour causer un gain de poids.

Votre morphologie aussi se transforme. Les femmes constateront à regret un affaissement progressif de leurs seins, dont les tissus conjonctifs se détendent avec le temps. Elles noteront aussi un ramollissement des cuisses et, parfois, l'apparition de cellulite.

Le tour de taille se modifie tant chez l'homme que chez la femme. Chez l'homme apparaîtront d'abord les fameuses « poignées d'amour », qui se transformeront, si rien n'est entrepris, en « bedaine ». Les femmes, pour leur part, accumulent généralement plus de graisse dans les hanches et les cuisses, ce qui leur donne une forme de poire. Quand les changements hormonaux se produisent, elles sont plus susceptibles d'accumuler de la graisse dans la région abdominale, et leur silhouette prend davantage la forme de pomme.

Autant de signaux d'alarme qui indiquent de potentiels problèmes de santé.

Enfin, vous risquez de ressentir, avec l'arrivée de la quarantaine, une baisse progressive de votre énergie vitale. Des activités que vous pratiquiez jusque-là sans effort en exigeront désormais de plus en plus. Par ailleurs, il est fréquent que les femmes à partir de 40 ou 45 ans doivent composer avec une plus grande irritabilité juste avant l'arrivée de leur ménopause. Elle est due à une diminution de la progestérone qui cause souvent des troubles du sommeil.

Ce que vous perdez en muscles (tissus maigres), vous risquez fortement de le gagner en graisse. La solution ? Entretenir votre système musculaire avec un minimum d'exercices afin de mettre surpoids et stress en échec !

Les habitudes et la génétique

Le poids du passé

Il se peut que vous ayez développé de mauvaises habitudes alimentaires dès le début de votre vie d'adulte, voire depuis votre enfance. Les grossesses, surtout si elles sont tardives, peuvent aussi laisser quelques kilos résiduels dont il est difficile de se débarrasser. Même les régimes à répétition (voir chapitre 4 *Les diètes. Un passage obligé ? Pas sûr...*, page 55) contribuent à long terme à une augmentation du poids.

Savourer les plaisirs de la vie

Au moment où vous disposez justement d'un peu plus de temps ou de moyens et que vous souhaitez l'utiliser pour vous faire plaisir en organisant de bonnes bouffes bien arrosées, voilà que des spécialistes vous rappellent que la consommation d'alcool, de caféine, de certains plats épicés peut être nuisible ! Et que, par conséquent, ils vous conseillent de faire preuve de modération !

Comme dirait Caliméro, c'est trop injuste...

> *Ahhh ! je sais que la « modération » n'est pas facile à appliquer ! Il ne se passe pas une semaine sans que je réunisse des gens autour de ma table. Et comme on ne boit ni bière ni digestif, il nous arrive de déboucher plus d'une bouteille de bon vin. J'ai donc pris l'habitude d'alterner verre de vin et verre d'eau. Ainsi, je me sens beaucoup mieux le lendemain ! Après tout, on n'a plus 20 ans !*

La sédentarité

Quoique vous ayez peut-être souvent le sentiment de mener une vie active et d'être toujours à la course, il se peut qu'en réalité vous soyez plutôt sédentaire. La très grande majorité de vos déplacements sont motorisés (et même souvent sources de stress, voir plus haut) ; vous empruntez les escaliers mécaniques et les ascenseurs ; puis, fourbus, à la fin d'une journée au boulot où l'on exige de vous que vous performiez, le plus souvent assis à un poste de travail, vous vous détendez (assis) les yeux figés sur un écran. Force est de constater que votre fatigue physique provient davantage du stress accumulé au fil de la journée que de dépenses énergétiques bénéfiques pour votre métabolisme.

Le manque de compétences culinaires

Le rythme de vie ayant constamment augmenté ces dernières décennies, les gens achètent davantage de produits alimentaires transformés pouvant être consommés rapidement. Pour Santé Canada, cette nouvelle habitude alimentaire a eu pour effet une diminution importante de la transmission des compétences culinaires d'une génération à l'autre. Santé Canada en conclut que la disparition de cette tradition a un impact majeur sur la qualité de l'alimentation en général et que les nouvelles habitudes alimentaires mènent à l'augmentation du poids et des cas d'obésité. Il a été démontré qu'un manque de savoir-faire culinaire est directement lié à une consommation accrue de gras, de sel et de sucre au détriment des fruits et légumes, des produits céréaliers et des légumineuses.

Des problèmes de glandes ?

En cherchant une justification aux kilos en trop, il arrive que vous rejetiez la faute sur un dysfonctionnement de votre système endocrinien, responsable de la sécrétion des hormones dans votre corps. Sauf dans des cas vraiment exceptionnels, seule l'insuffisance thyroïdienne (hypothyroïdie), relativement fréquente après 40 ans, peut effectivement entraîner un surpoids si elle n'est pas bien contrôlée. Une baisse de l'activité de la thyroïde est en effet associée à un ralentissement du métabolisme, ce qui favorise une prise de poids et un problème de rétention d'eau. Par mesure de prévention, vous devriez demander à votre médecin qu'il vous fasse passer un examen pour vérifier le fonctionnement de votre thyroïde.

L'hypothyroïdie

C'est une pathologie fréquente qui touche surtout les femmes (1 femme sur 100 pour 1 homme sur 1 000) et dont la fréquence augmente avec l'âge.

Symptômes :

- ralentissement du rythme cardiaque ;
- constipation ;
- peau froide et épaisse ;
- prise de poids ;
- trous de mémoire et signes de dépression.

La faute aux gènes?

La hausse de l'embonpoint et de l'obésité est aujourd'hui constante partout dans le monde. La génétique en est certes un facteur, mais ne peut être considérée comme la seule explication valable (bien que certains chercheurs estiment que 200 gènes pourraient être associés au gain de poids).

Par ailleurs, de plus en plus de scientifiques se penchent sur les effets possibles des produits chimiques que l'on trouve dans notre environnement immédiat. Des chercheurs indépendants, répartis sur trois continents, ont identifié quelques produits chimiques qui, à l'usage, ont modifié le système endocrinien de différents animaux de laboratoire ; ils ont constaté que les générations subséquentes de ces animaux sont nées avec un surplus de poids important par rapport à leurs géniteurs.

Enfin, des bactéries présentes dans la flore intestinale pourraient aussi avoir une incidence sur la perte et le gain de poids.

Les risques pour la santé

Autour de la ménopause

La périménopause puis la ménopause entraînent une perte progressive d'œstrogènes, ce qui a pour première conséquence une diminution de la masse osseuse, qui se fragilise. On associe aussi la baisse des œstrogènes à une augmentation du risque de maladies cardiovasculaires. Comme vos artères perdent peu à peu de leur élasticité, vous déculperez les risques de problèmes cardiaques si vous persistez à consommer trop de sucre et de gras saturés ou à accumuler des graisses abdominales.

La graisse abdominale

Tant l'homme que la femme, en vieillissant, emmagasinent plus facilement le gras, en particulier au niveau du ventre. Ce surplus de matière graisseuse s'accumule à deux endroits distincts du ventre, soit au-dessus des muscles (gras sous-cutané) et en dessous les muscles (gras intra-abdominal). Pour plusieurs organismes publics œuvrant en santé, dont Santé Canada, c'est ce dernier qui est le plus néfaste. Il peut engendrer des problèmes graves comme l'hypertension, les maladies du cœur, le diabète et même favoriser l'apparition de certains cancers, comme celui du sein, du côlon, les maladies de la vésicule biliaire ainsi que l'arthrose.

Les femmes ménopausées ont jusqu'à 50 % plus de gras intra-abdominal que celles qui ne le sont pas.

Le surpoids et le diabète

Une des conséquences possibles du surpoids et de l'obésité est de développer un diabète de type 2, la forme la plus répandue de diabète. Cette maladie est insidieuse parce que souvent silencieuse, ses symptômes n'étant guère apparents. Ils se manifestent notamment par une fatigue récurrente, une augmentation du volume des urines couplée à une soif intense, une vision embrouillée ou un changement de caractère.

Ce type de diabète est plus fréquent à partir de 40 ans et il affecte davantage les hommes que les femmes. Il peut être d'origine héréditaire, mais il se manifeste surtout chez les individus sédentaires ayant un surplus de poids et un taux de graisse abdominale élevé. De fait, 80 % des personnes développant un diabète de type 2 sont en surpoids ou obèses. Enfin, les femmes ayant donné naissance à un bébé de plus de 4,1 kg (9 livres) sont aussi susceptibles de développer ce type de diabète.

Le cholestérol

La quarantaine entraîne souvent un dérèglement du taux de cholestérol. Le mauvais cholestérol (LDL) ainsi que les triglycérides, qui sont les réserves de gras du corps présentes dans le sang, augmentent alors de près de 20 %, tandis que le bon cholestérol a tendance à diminuer légèrement. Pour éviter que ces changements ne deviennent de potentiels problèmes de santé, il vaut mieux demander à son médecin de vérifier occasionnellement son taux de bon et mauvais cholestérol.

À partir de 40 ans, il est fortement recommandé de passer chaque année un examen général comprenant une prise de la tension artérielle, une mesure du poids et du tour de taille et la vérification du taux de cholestérol. Entre 40 et 50 ans, surtout si vous avez accumulé un surpoids, vous devriez aussi passer un test de glycémie à jeun afin de détecter le diabète, ainsi qu'un test thyroïdien.

> *Les publicités nous inondent de propositions de régimes et de pilules miracles. On a tendance à vouloir des résultats rapidement ; or, on parle de santé ici, et je trouve essentiel de comprendre comment notre corps fonctionne avant d'envisager une perte de poids. Ce premier chapitre est une introduction extrêmement enrichissante ! Je me souviens avoir fait l'achat d'une pilule qui devait me donner une énergie du tonnerre, régler mes problèmes de digestion et me faire perdre 20 livres. Eh oui, je me suis fait prendre ! Ce petit comprimé m'a rendue malade pendant des jours... Une belle leçon pour moi.*

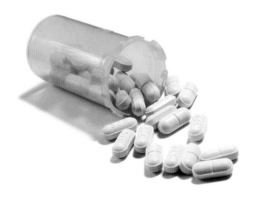

Chapitre

VOULOIR… OU DEVOIR MAIGRIR

Qui ne s'est jamais posé cette question : « Pourquoi est-ce si complexe de perdre du poids, alors qu'il est si facile d'en gagner ? »

Ou encore celle-ci (plus pernicieuse) : « Suis-je la principale raison de mes échecs ? »

Rassurez-vous, plusieurs facteurs, dont certains nous échappent, expliquent cette difficulté à rester mince ou à maigrir. Gardez confiance et sachez qu'il existe des moyens pour contrer toutes les embûches qui se dressent sur le chemin qui vous mène à votre poids santé.

Les conflits intérieurs

En dehors du fait que dans les pays occidentaux, et plus particulièrement en Amérique du Nord, nous célébrons volontiers l'abondance jusque dans nos assiettes, de plus en plus de spécialistes en nutrition considèrent que les habitudes alimentaires que nous avons prises, ou qui nous sont imposées par la restauration rapide et l'industrie, pourraient avoir sur nous un effet de dépendance proche de celui que procurent certaines drogues.

En effet, comment expliquer que plusieurs d'entre nous aient autant de difficulté à résister à la nourriture ? Quels sont les mécanismes qui nous y poussent en dehors des facteurs psychologiques ? Y aurait-il aussi des explications physiologiques ?

Dopes alimentaires?

Pour mieux comprendre ce phénomène, il faut se tourner du côté du cerveau et de son fonctionnement. Manger est un plaisir, et vous savez maintenant que le seul fait de consommer des aliments peut élever le taux de dopamine (un neurotransmetteur) dans votre cerveau comme le fait une drogue. Cependant, contrairement à ce qui se passe avec la drogue, la nourriture ne devrait provoquer chez vous qu'une hausse temporaire de la dopamine dans votre cerveau, qui peu à peu s'y accoutumerait.

Or, il semble que certaines combinaisons alimentaires favorisent plutôt le maintien d'un taux élevé de dopamine, impliquant une plus grande activité du cerveau. C'est le cas, entre autres, lorsqu'on combine le sucre avec des matières riches en gras. En fait, l'effet « jouissif » de ces associations est tel chez certaines personnes qu'elles peuvent en devenir accros! Et elles le seront d'autant plus si la nourriture qu'on leur propose est multisensorielle, c'est-à-dire si elle marie, en plus du sucre et des matières grasses, un parfum et des textures variées.

Par exemple, tout le monde aime la crème glacée. Si on y ajoute des brisures de chocolat, des noix ou du fudge chaud, l'expérience sensorielle est alors renforcée. L'industrie alimentaire a bien compris le phénomène et conçoit ses plats et ses produits en jouant sur ce renforcement.

Peut-on en conclure que cette possible dépendance vous condamne à trop manger? Que vous souffrez d'une pathologie? Bien sûr que non... Comme pour toutes les autres dépendances, le seul fait d'en prendre conscience est déjà un pas dans la bonne direction. Sauf rares exceptions, il est possible de réduire progressivement votre consommation de ces produits sans pour autant devoir vous en priver toute votre vie.

Question de survie...

Déjà que, pour certains, il est parfois difficile de résister à certains aliments, vous savez tous qu'il ne suffit pas de décider de perdre du poids pour que la cause soit entendue. Le chemin pour y parvenir est semé d'embûches. Et, cette fois encore, le cerveau est en cause! En fait, votre démarche activera tour à tour deux régions très distinctes de votre cerveau qui peuvent parfois entrer en concurrence.

Dans un premier temps, votre choix de perdre du poids, même s'il vous est imposé par des raisons de santé, se prendra dans une zone du cerveau située au niveau des aires temporales et frontales antérieures. Ces zones sont aussi la base de ce qui constitue votre personnalité, votre caractère, votre humeur et vos émotions.

Une fois votre décision prise et les moyens choisis pour y parvenir, d'autres zones du cerveau peuvent réagir plus ou moins fortement en fonction des moyens employés. Ces zones limbiques sont situées en bas et au centre de votre cerveau et sont en relation avec l'hypothalamus, dont la principale fonction est d'assurer votre survie. Plus vous imposerez des restrictions sévères à votre corps (comme c'est le cas, lorsque vous suivez une diète hypocalorique), plus cette zone de votre cerveau se chargera de stocker de nouvelles réserves graisseuses aussitôt qu'elle le pourra.

Ces échanges parfois contradictoires entre les deux zones de votre cerveau expliquent en partie les difficultés que vous rencontrez lorsque vous souhaitez perdre du poids. Votre volonté se confronte à vos mécanismes de survie. Mais encore une fois, ce n'est pas une fatalité! Une fois que vous en êtes conscient, vous pouvez emprunter une stratégie de compromis, quitte à vous faire aider par des spécialistes pour arriver à vos fins. Il faut surtout privilégier une perte de poids progressive qui n'activera pas votre « cerveau de survie ».

Atteindre son « bien-être santé » est parfois un long chemin à parcourir ; il est donc primordial d'être convaincu de sa décision, de le faire pour les bonnes raisons et surtout pour la bonne personne : soi-même. Nous vivons dans un monde où tout va très vite, mais quand on parle de santé, il faut être patient et persévérant. Ainsi, les bonnes habitudes ont de meilleures chances de s'installer pour longtemps.

Surpoids et obésité

La situation chez nous

Au début des années 2010, nous avons franchi au Québec un cap peu enviable : un Québécois sur deux souffrirait de surpoids, et le taux d'obésité chez nous serait de plus de 20 %. Il s'agit d'un bond spectaculaire puisque, dans les années 1980, un Québécois sur trois avait des problèmes de surpoids.

Les mêmes études constatent que l'âge est un des déterminants qui est en cause dans la prise de poids. Cette prévalence à l'embonpoint augmente à partir de la vingtaine jusqu'à 65 ans. Conséquemment, plusieurs d'entre nous abordons la quarantaine en ayant accumulé un surpoids plus ou moins important.

Dans les années 1980, le surpoids et l'obésité touchaient davantage les hommes. Depuis le début des années 2010, l'écart s'est amenuisé entre les hommes et les femmes, et ce fléau ne semble guère faire preuve de discrimination puisqu'il augmente tant en milieu urbain que rural et touche tous les niveaux de revenus. Le surpoids a connu sa plus forte hausse dans la catégorie des revenus les plus bas, alors que l'obésité a connu la plus forte hausse relative dans la catégorie des revenus les plus élevés.

La situation dans le monde

Une enquête britannique récente évalue qu'il y aurait actuellement 1,4 milliard de personnes qui présentent une surcharge pondérale dans le monde. Si la progression du surpoids et de l'obésité continue d'augmenter sensiblement dans les pays occidentaux, c'est néanmoins dans les pays émergents et en voie de développement que l'explosion a été la plus spectaculaire ces dernières décennies, où elle a presque quadruplé.

Les indices : grilles et tableaux de référence

Si vous vous préoccupez de votre silhouette et que vous ressentez le besoin de connaître où vous vous situez par rapport à la moyenne des gens, vous pouvez utiliser une des approches suivantes. Rappelez-vous toutefois que celles-ci ne sont que des indicateurs et qu'aucune d'entre elles ne tient compte de tous les paramètres nécessaires pour établir un bilan de santé complet. Seul un médecin est en mesure de le faire.

L'indice de masse corporelle (IMC)

Cet outil a été créé par le corps médical afin de pouvoir évaluer, à partir d'une échelle de références, les risques du surpoids sur la santé. Grosso modo, on calcule l'indice de masse corporelle en divisant le poids (en kg) d'un individu par sa taille (en m) au carré.

On peut ainsi, en se basant sur des études antérieures constamment remises à jour, déterminer si nous avons un excès ou une insuffisance de poids. Une fois qu'on a déterminé son IMC, on a un point de référence pour connaître le nombre de kilos à gagner ou à perdre.

L'IMC est un outil de référence utile, mais néanmoins incomplet, parce qu'il ne tient pas compte de la masse musculaire, de l'ossature et de la répartition des graisses sur le corps.

Au Québec en 2010, l'IMC médian (celui qui représente la moitié de la population adulte) a été évalué à 25,2 kg/m^2. C'est loin de l'objectif suggéré par l'Organisation mondiale de la santé, qui fixe l'IMC médian idéal entre 21 kg/m^2 et 23 kg/m^2.

Pour calculer votre IMC, vous pouvez utiliser cette formule :

- IMC = votre poids (en kg) divisé par le carré de votre grandeur (en m).

Si vous n'avez pas la bosse du calcul, de nombreux sites web le feront pour vous.

INDICE DE MASSE CORPORELLE

Classification	Indice de masse corporelle (kg/m^2)	Risque de problèmes de santé
Maigreur extrême	Moins de 16	Élevé
Maigreur	Moins de 18,5	Accru
Poids normal	18,5 à 24,9	Faible
Embonpoint	25,0 à 29,9	Accru
Obésité, classe 1	30,0 à 34,9	Élevé
Obésité, classe 2	35,0 à 39,9	Très élevé
Obésité, classe 3 (obésité morbide)	40 ou plus	Extrêmement élevé

SOURCE : SANTÉ CANADA

Le tour de taille

Un autre indice peut être utilisé pour mesurer certains risques liés à l'embonpoint ; il s'agit simplement de mesurer son tour de taille. Les gras qui s'y accumulent sont en effet susceptibles d'augmenter les risques d'hypertension artérielle, d'hypercholestérolémie, de diabète de type 2, de maladies du cœur ou encore d'accident vasculaire cérébral.

TOUR DE TAILLE

Classification du risque de maladie cardiovasculaire, de diabète et d'hypertension	Hommes		Femmes	
	cm	pouces	cm	pouces
Faible	< 94	< 37	< 80	< 31,5
Accru	> 94	> 37	> 80	> 31,5
Considérablement accru	> 102	> 40	> 88	> 35

L'indice de masse grasse

Il existe plusieurs moyens pour vous aider à déterminer la masse grasse que contient votre organisme. Pour la graisse sous-cutanée, on mesure l'épaisseur d'un pincement de peau à différents endroits du corps. Pour connaître avec plus de précision votre masse graisseuse, on utilise une balance à impédancemètre qui fait circuler un courant électrique dans tout le corps et détermine l'importance de votre masse graisseuse en fonction de la résistance que le gras offre au courant électrique.

On peut aussi utiliser une formule inspirée de celle de l'IMC pour avoir une idée de votre indice de masse grasse (IMG). Par contre, comme l'IMG tient compte de plus de facteurs, dont votre âge, il vaut mieux utiliser les outils du web ou demander à votre pharmacien ou votre nutritionniste s'il offre ce service.

Une fois que vous aurez votre IMG, vous pourrez vous situer à partir de ce tableau :

IMG (% DE MASSE GRAISSEUSE)

Femmes	Moins de 25 %	25 à 30 %	Plus de 30 %
	Maigreur	Normal	Excès de masse grasse

Hommes	Moins de 15 %	15 à 20 %	Plus de 20 %
	Maigreur	Normal	Excès de masse grasse

Perdre du poids : les approches

Un soutien professionnel

Pour être vraiment efficace, la perte de poids doit être personnalisée. Dans un premier temps, vous devriez demander un bilan de santé à votre médecin. Il vérifiera votre indice de masse corporelle, mais pourra aussi, à partir de prises de sang, analyser votre état physiologique. Il sera alors en mesure de proposer les meilleurs moyens pour l'améliorer.

Si vous devez composer avec un problème d'embonpoint important, vous augmenterez vos chances d'atteindre votre objectif de perdre du poids en recourant, en plus des services du médecin, à ceux d'un nutritionniste. Il saura vous conseiller en fonction de votre parcours personnel, vous accompagner pendant le processus de perte de poids, mais également à plus long terme pour vous éviter de reprendre de mauvaises habitudes. Aussi, un kinésiologue peut vous conseiller adéquatement pour trouver des exercices appropriés.

Une démarche personnelle

Sur un plan plus personnel, vous devez effectuer aussi un travail sur vous-même de manière à adopter un style de vie qui vous convient et qui soit basé sur de nouvelles habitudes durables. Ce qui signifie qu'avant même de penser à modifier vos habitudes alimentaires, vous devriez d'abord :

1. développer un certain nombre de réflexes à partir de vos besoins physiologiques ;
2. apprendre à identifier lorsque vous avez vraiment faim ;
3. évaluer la façon de combler votre faim ;
4. savoir à quel moment vous arrêter de manger.

Reconnaître sa faim

De façon générale, la faim se manifeste de 4 à 6 heures après un repas complet. Vous ressentez alors un véritable besoin qui se traduit par des contractions dans l'estomac (ces « gargoullis » si peu discrets !), une concentration moins grande et une baisse d'énergie. Si, sans ressentir ces symptômes, vous avez une envie soudaine et irrésistible de manger, vous devez vous questionner sur les raisons qui la motivent. Dans la majorité des cas, la réponse n'aura rien à voir avec vos besoins nutritionnels mais plutôt avec votre état d'esprit ou de dépendance à certains aliments : fatigue, stress, insatisfaction, ennui… Vous pourrez alors essayer de résoudre ce problème au lieu de tenter de le combler avec de la nourriture.

J'ai un faible pour les fruits secs en guise de collation : je les choisis non salés et j'en garde un petit contenant dans mon sac à main ou dans la voiture. Mon truc saveur : je fais griller les amandes quelques minutes au four... Une grignotine qui fait des heureux autour de moi et qui nous évite d'arriver aux heures des repas complètement affamés et prêts à tous les excès !

Envie de manger... mais pas vraiment faim ? Optez pour une petite promenade, ou occupez votre esprit à autre chose qui le stimule (ex. : le tricot, la peinture, les jeux de société, la lecture).

Vivre avec son image

Ces dernières années, le poids est devenu pour plusieurs une véritable préoccupation au point que plus des deux tiers des femmes et le tiers des hommes veulent maigrir. C'est peut-être parce que l'on associe volontiers la minceur à la réussite et à la santé. Cette idée prévaut dans certains milieux de travail, où l'on considère que l'embonpoint peut refléter un manque de volonté et de dynamisme. Et pourtant...

Cette préoccupation tourne parfois à l'obsession et finit par miner l'estime de soi. Elle favorise aussi, dans certains cas, une augmentation des risques de développer des troubles alimentaires comme la boulimie, l'anorexie et l'orthorexie (l'obsession de manger sainement).

Il importe donc que vous fassiez la paix avec vous-même, que vous appreniez à composer avec l'image corporelle qui est la vôtre et que vous vous fixiez des objectifs réalistes quant à la perte de poids que vous envisagez. Si la réussite de votre projet d'amaigrissement dépend de vous, vous ne pouvez cependant pas modifier le bagage génétique dont vous avez hérité. Tout au plus, vous pouvez composer avec ce qu'il vous impose.

Sachez, comme le démontre une étude de la clinique Mayo, aux États-Unis, qu'il suffit de perdre de 5 % à 10 % de votre masse corporelle, peu importe ce qu'elle est au départ, pour ressentir des bienfaits comme un mieux-être et une amélioration de votre santé. D'autres études suggèrent qu'en vieillissant, un IMC légèrement plus élevé est associé à la longévité.

Pas de discrimination alimentaire !

À partir du moment où vous avez compris les mécanismes qui entrent en action dans votre cerveau pour vous procurer du plaisir en mangeant (surtout lorsque vous combinez le gras, le sucre et le sel), il n'est pas nécessaire de proscrire les aliments que vous aimez. Vous devez juste être vigilant !

Cesser la consommation occasionnelle de vos aliments préférés ne peut que créer de la frustration qui, à son tour, pourrait engendrer des rages alimentaires. Mieux vaut privilégier une approche où vos menus contiennent des aliments sains tout en vous réservant de temps en temps une gâterie.

La privation me semble une mauvaise approche. Oui, j'ai des chips et des biscuits du commerce chez moi ! Mais j'ai aussi de bons fruits, une grande variété de yogourts ou de savoureux fromages. Bien sûr, l'attrait pour les « gâteries » est présent, mais comme elles sont disponibles et pas traitées comme des aliments « spéciaux », elles deviennent banales et, du même coup... pas mal moins attrayantes.

En veux-tu encore un peu ?

On le dit aux nouveaux parents : ne forcez pas votre enfant à finir son assiette, car lui seul peut déterminer quand il en a assez et qu'il n'a plus faim. Et tout le monde trouve que ça tient du gros bon sens.

Mais vous, en tant qu'adulte, parfois, vous reprenez de tout par gourmandise, ou vous vous forcez à finir ce que vous avez devant vous pour ne pas gaspiller. Ce faisant, vous créez un véritable problème de disproportion des quantités de nourriture que vous devriez ingérer. Les morceaux de viande sont souvent plus gros que vos besoins ; le verre de vin ballon contient plus de boisson que la portion standard... Sans compter qu'au resto, on sert des portions de frites ahurissantes, des boissons gazeuses qui tiennent du litre, des muffins assez gros pour rassasier plus d'une personne... Dans cette société obésogène, on vous incite à manger en grande quantité : à vous de vous méfier !

Sachez-le : la plupart des gens gagnent quelques kilos par année parce qu'ils consomment seulement 100 calories de trop par jour. Alors, plutôt que de ne pas gaspiller ce qui se trouve dans votre assiette... servez-vous en plus petite quantité, c'est tout !

Chapitre

LES BONS ALIMENTS

Vous arrive-t-il de vous priver de certains aliments que vous appréciez parce que vous jugez qu'ils pourraient être mauvais pour vous ? Et d'en consommer d'autres qui vous plaisent moins, mais que vous croyez bons pour votre mieux-être ? Alors, les bons et les mauvais aliments, sont-ils un mythe ou une réalité ?

La vraie nature des aliments

Une question de perception

Selon les enquêtes et les sondages récents, nombreux sont ceux qui classent les aliments selon la perception positive ou négative qu'ils en ont. Le bacon ? Le lait entier ? Les petits gâteaux joliment décorés ? Jamais plus !

Plusieurs raisons peuvent expliquer cette attitude. D'abord, l'offre alimentaire est tellement diversifiée qu'écarter systématiquement des aliments vous simplifie la tâche au moment de faire vos choix.

Mais c'est aussi en grande partie parce que certains organismes, professionnels ou communautaires, et l'industrie de la perte de poids, qui se préoccupent de santé publique, ont eu tendance à les catégoriser (et à les démoniser). La raison ? Inciter les gens à modifier rapidement leurs « mauvaises » habitudes alimentaires.

Cependant, pour la grande majorité des spécialistes, les aliments sont rarement néfastes en soi. Même le bacon! La réalité est beaucoup plus nuancée. Très souvent, c'est plutôt votre relation ambiguë avec la nourriture qui fait que vous accumulez un surpoids susceptible ensuite d'hypothéquer votre santé.

N'y faites pas abstraction, manger demeure un des moyens les plus rapides et accessibles pour vous récompenser de tous ces efforts que vous fournissez dans votre vie personnelle et au travail. La grosse journée au boulot se traduit souvent par une bière fraîche ou un verre de vin en arrivant à la maison, une poignée de chips… quand ce n'est pas le sac au complet! Ce geste simple et en apparence anodin vous procure une satisfaction immédiate. Le danger, c'est votre propension à trop vous gâter!

Plusieurs personnes en surpoids ont tendance, avec l'arrivée de la quarantaine, à éliminer complètement les graisses animales dites « mauvaises », alors que le plus souvent, il suffit d'en réduire la quantité. On peut donc les utiliser à l'occasion, en alternance avec d'autres produits comme la margarine non hydrogénée ou les huiles mono-insaturées.

Autrement, une nourriture équilibrée et variée privilégiant les légumes, les fruits, les céréales à grains entiers et les sources de protéines, majoritairement faibles en gras, devrait répondre à vos besoins nutritifs essentiels tout en multipliant les plaisirs de manger.

Il n'y a rien de mauvais, mais…

Quelques éléments, omniprésents dans votre alimentation, doivent toutefois être surveillés davantage une fois le cap de la quarantaine franchi. C'est le cas du sucre, en abondance dans beaucoup d'aliments et de boissons, ainsi que du sel, surtout si vous avez tendance à faire de la rétention d'eau. Sachez que ce n'est pas tout de réduire votre consommation de chips, car le sel est bien présent dans la plupart des aliments transformés (légumes en boîte, pain, gâteaux, muffins, condiments, etc.) ou prêts à servir (pâtés, potages, charcuteries, etc.). Et le gras? Nous y reviendrons.

Si vous craignez qu'en diminuant la quantité de sel dans vos plats, ceux-ci manquent de goût, utilisez d'autres condiments, comme le jus de citron (un rehausseur de goût naturel), des herbes et des épices.

Tout le monde à l'eau !

À moins de contre-indication médicale, pensez à consommer beaucoup d'eau :

- Environ 2 litres par jour pour les femmes ;
- Environ 3 litres pour les hommes.

La règle d'or est de consommer assez d'eau pour s'assurer que votre urine soit jaune pâle. Il faut savoir qu'en vieillissant, la soif ne se manifeste plus avec la même régularité et la même intensité. Il faut donc penser à boire même sans éprouver de sensation de soif. Le fait de boire régulièrement de l'eau facilite l'élimination des déchets organiques, hydrate le corps convenablement et aide même la peau à conserver sa souplesse.

Vous pouvez consommer l'eau telle quelle, il n'y a rien de meilleur. Mais si l'absence de goût vous déplaît, ajoutez-y des tranches d'agrume, des petits fruits ou des brins de fines herbes comme la menthe, le thym citronné ou la mélisse. Vous pouvez aussi consommer l'eau sous forme de tisane, froide ou chaude. Dans le même esprit, incorporez dans vos menus davantage de légumes et de fruits riches en eau et peu caloriques, comme le concombre, la courgette, la laitue ou le melon. En prime, vous bénéficierez des fibres qu'ils contiennent.

Boire quand on fait de la rétention d'eau

Vous hésitez à vous hydrater parce que vous avez tendance à faire de la rétention d'eau ? Incluez alors dans vos habitudes des aliments riches en potassium, comme l'asperge, le fenouil, le poireau et la banane, qui peuvent vous aider à trouver votre équilibre.

Trucs pour boire davantage d'eau

- Procurez-vous une jolie bouteille ou un verre à eau fantaisiste pour le bureau au lieu d'une tasse à café.

- Disposez à table de belles carafes ou des bouteilles colorées remplies d'eau fraîche : vous aurez envie de vous en servir un verre, comme on le ferait d'une bouteille de vin !

Boire de l'eau fait partie de mon style de vie depuis plusieurs années. C'est vrai qu'au début, j'avais de la difficulté à boire mes huit verres par jour, mais c'est finalement devenu une habitude dont mon corps ne peut plus se passer. Je me suis procuré une gourde de type thermos que j'adore : je l'ai toujours à portée de main. Puis mon défi a été de transmettre cette bonne habitude à mes mousses... Mon truc ? Je dépose dans un joli pichet quelques feuilles de menthe et des framboises congelées et je remplis d'eau. Ça marche : les enfants sont attirés par ce contenant coloré et ils finissent toujours par redemander à boire !

Vitamines et minéraux : où les trouver ?

Une fois le cap de la quarantaine franchi, il vous faut un apport suffisant de vitamines, de minéraux et d'autres éléments nutritifs dont votre organisme a davantage besoin. Toutes les recommandations nutritionnelles changent seulement lorsqu'on est rendu à 50 ans.

Le calcium

Le calcium est le minéral le plus abondant dans l'organisme. Le corps l'assimile et le fixe sur les os. Or, vous le savez, la masse osseuse décline chez les femmes lorsqu'elles approchent de la ménopause. Par ailleurs, le calcium assure la contraction et le relâchement de vos muscles et aide à la cicatrisation ; il importe donc d'en fournir suffisamment à votre organisme.

Plusieurs produits laitiers sont riches en calcium (le lait, le yogourt et la plupart des fromages, mais pas le fromage à la crème, la crème sure ni la crème glacée). Les boissons de soya, d'amande, et autres peuvent être fortifiées avec du calcium. On en trouve aussi dans certains poissons, comme les sardines et le saumon (en les consommant avec leurs arêtes), ainsi que dans le sésame et la pistache.

La vitamine D

De récentes enquêtes montrent que deux Canadiens sur trois auraient une carence en vitamine D et seraient conséquemment plus susceptibles d'être affectés par des infections et par une décalcification osseuse pouvant mener jusqu'à l'ostéoporose.

Un des premiers rôles de la vitamine D est, en effet, d'optimiser l'absorption du calcium, mais de plus en plus de médecins et de spécialistes en nutrition insistent sur d'autres vertus préventives qu'elle aurait.

Ainsi, des suppléments de vitamine D réduiraient les risques de fractures chez les gens âgés de 50 ans et plus. On croit aussi qu'elle jouerait un rôle plus significatif qu'on le pensait jusqu'ici sur la santé du cœur. Une étude de quatre ans menée auprès de femmes ménopausées, à qui l'on avait administré du calcium associé à la vitamine D, a révélé chez elles une diminution des risques de cancer de 60 % par rapport aux femmes qui n'avaient reçu qu'un placebo ou du calcium.

Il est toutefois quasi impossible que vous trouviez dans vos aliments une source suffisante de vitamine D. Il en est de même de son autre source, le soleil. Ce dernier permet de la synthétiser dans votre organisme à partir d'un dérivé du cholestérol, mais il n'est pas assez présent chez nous de l'automne au printemps. La façon la plus simple de combler vos besoins est donc d'opter pour des suppléments.

La vitamine E

Grâce à ses propriétés antioxydantes, la vitamine E contribue au bon fonctionnement de votre système immunitaire et aide à garder les vaisseaux sanguins souples, ce qui diminue les risques qu'un caillot se forme.

On en trouve dans les graines de lin, les noisettes, les amandes ainsi que dans la bette à carde, la patate douce, le maïs et le soya.

La vitamine K

Nécessaire à la coagulation sanguine, la vitamine K contribuerait aussi à la santé de vos os en favorisant la fixation du calcium et du phosphore sur la matrice osseuse. Elle est généralement abondante dans les légumes verts et les algues. On en trouve aussi des traces dans les huiles de soya et de canola.

Utiles, les suppléments ?

Vous devriez toujours privilégier les aliments comme source principale de vitamines et de minéraux ; les suppléments ne sont pas des substituts valables puisqu'ils vous privent d'éléments essentiels. Les suppléments ne doivent servir qu'à combler vos besoins.

Autres éléments nutritifs

Les protéines

Pour compenser la perte naturelle du volume de vos muscles après 40 ans, vous devriez consommer des protéines à chaque repas. On en trouve entre autres dans les légumineuses, mais aussi dans les œufs, les viandes (lapin, cheval), la volaille (canard, oie), le poisson, le fromage et le yogourt (surtout le yogourt grec).

Par ailleurs, une consommation assidue mais contrôlée de protéines apporterait un bon soutien aux personnes qui veulent ou doivent perdre du poids.

Les oméga-3

Une consommation régulière d'oméga-3 est aussi fortement recommandée. Ces acides gras sont reconnus pour jouer un rôle important dans le fonctionnement du cerveau et dans la croissance et le développement. Les oméga-3 jouent un rôle important dans la réduction de l'inflammation et peuvent donc aider à diminuer le risque de développer une maladie cardiaque, l'arthrite et le cancer. Certains chercheurs, même si le sujet est controversé, prétendent même que les oméga-3 pourraient favoriser une diminution de près de 10 % du gras corporel et donc favoriser la perte de poids.

Parmi les aliments riches en oméga-3, il y a notamment les poissons gras, les fruits de mer, l'huile de canola, l'huile de soya, les graines et l'huile de citrouille, l'huile de noix et les noix, le jaune d'œuf oméga-3, les graines et l'huile de lin et l'huile de chia.

Les aliments fonctionnels par nature

Les aliments fonctionnels par nature sont ceux que vous consommez chaque jour pour vous nourrir et qui sont reconnus pour posséder des éléments nutritionnels bénéfiques pour votre santé et pour vous aider à éviter le surpoids et l'obésité. Grâce à eux, vous pouvez trouver dans votre assiette tous les éléments essentiels pour répondre à vos besoins physiologiques. Toutefois, beaucoup d'organismes qui se préoccupent de la santé publique s'alarment de la tendance actuelle au surpoids et voudraient attirer notre attention sur quelques-unes de nos carences en aliments fonctionnels.

Les légumes et les fruits

Pour Santé Canada notamment, la population ne consomme pas encore assez de fruits et légumes, qui sont des sources appréciables de vitamines, de minéraux et d'antioxydants nécessaires pour mettre tout un chacun à l'abri des maladies cardiaques et éviter le développement de certains cancers. De plus, ceux-ci contiennent souvent des phytonutriments aux propriétés bénéfiques qui peuvent aider le corps à lutter contre les maladies cardiovasculaires, certains types de cancer, l'arthrite, et d'autres maladies.

Les hommes en andropause devraient manger davantage de légumes colorés. D'autant plus qu'ils en consomment déjà généralement moins que les femmes. C'est en effet à cette période de leur vie que leur prostate s'hypertrophie et que le risque d'un cancer augmente.

Ah! Ce n'est pas facile de manger des légumes! L'idéal serait d'en avoir à chaque repas... et j'ai bien dit « l'idéal »! Il faut parfois faire preuve de stratégies... Je prépare donc, tous les jours, une grande assiette de crudités (avec ou sans trempette ou hoummos) que je dépose sur la table avant le souper. Mine de rien, tout le monde vient à bout de sa portion de légumes... et même davantage! Allez savoir pourquoi le brocoli est plus agréable à manger cru de façon décontractée que cuit dans l'assiette à l'heure du souper. Mais au final, du moment que ça rentre...

Les gras

Une autre façon de protéger votre cœur et votre santé générale est d'opter, lors de la préparation des repas, pour des huiles mono-insaturées, des produits laitiers à faible teneur en gras et des viandes maigres. Vous devriez aussi augmenter votre consommation de légumineuses et de noix et consommer deux portions de poisson par semaine, dont le saumon, le hareng, le maquereau, la sardine ou la truite saumonée.

Chez les hommes de plus de 40 ans, on retrouve parfois des niveaux anormalement élevés d'homocystéine, un acide aminé dans le sang découlant souvent d'une trop grande consommation de protéines animales. L'homocystéine augmente le risque d'être atteint de problèmes cardiaques. Pour revenir à un taux acceptable, on conseille de consommer des aliments ou des suppléments contenant de l'acide folique ainsi que des vitamines B6 et B12 qu'on trouve dans les bananes, les lentilles, le germe de blé, le foie, les poissons tel le saumon, les viandes blanches et les légumes verts foncés.

Les fibres

Il semble que les gens en général ne consomment toujours pas assez de fibres, qui aident à rester rassasié plus longtemps, donc à mieux gérer son appétit. On trouve des fibres notamment dans les céréales à grains entiers, comme le riz brun, le blé concassé, le gruau, et dans les pâtes à grains entiers.

Les aliments fonctionnels par ajout

Depuis un peu plus d'une décennie, le marché alimentaire vous propose aussi des aliments fonctionnels par ajout. Si plusieurs aliments sont déjà fonctionnels par nature, les plus récents développements technologiques ont créé de nouvelles possibilités pour enrichir des aliments existants (ou encore pour les débarrasser de leurs composants néfastes, comme le pain à 0 % de matière grasse).

Les exemples les plus récents et les plus populaires sont sans doute les jus et autres produits auxquels on ajoute des probiotiques, des antioxydants ou des fibres, des oméga-3… En fait, depuis quelques années, le marché des aliments fonctionnels par ajout connaît une croissance constante de 10 % à 14 % par année, multipliant les offres de produits alimentaires à valeur ajoutée.

Il ne faut pas confondre ces aliments auxquels on additionne des propriétés pour en augmenter les effets bénéfiques avec ceux qu'on doit enrichir parce que leur procédé de fabrication a détruit une partie de leur valeur nutritive. C'est le cas, par exemple, des nutriments qu'on doit ajouter aux farines pour compenser les pertes nutritives subies lors de leur raffinement.

Des aliments miracles, vraiment ?

Comme toujours, vous ne devriez jamais vous laisser séduire par un aspect spécifique d'un produit, quelle que soit sa valeur alléguée pour votre santé ! Considérez chaque produit dans son ensemble à partir d'une lecture du tableau des valeurs nutritives. Lors du choix d'un aliment fonctionnel, demandez-vous quel rôle vous souhaitez qu'il joue dans votre alimentation. Quelqu'un qui consomme déjà suffisamment d'acides gras oméga-3 n'a pas besoin de consommer d'aliments fonctionnels par ajout.

Vous devriez aussi tenir compte des effets que l'ajout de nutriments fonctionnels a sur le prix du produit. La quantité qu'on y trouve est-elle suffisante pour avoir un effet réel sur votre santé ?

Évidemment, amorcer des changements demande du temps et du travail… Eh oui, encore des efforts ! Pour avoir une idée plus concrète de votre démarche, je vous suggère de tenir un journal de tout ce que vous mangez. Déjà, après une ou deux semaines, vous pourrez comparer avec le tableau qui suit et avoir une idée globale de ce que vous pourriez ajouter ou enlever dans votre menu.

ALIMENTS FONCTIONNELS PAR NATURE

Composants fonctionnels	Source	Avantages potentiels
Caroténoïdes		
Alpha-carotène/Bêta-carotène	Carottes, fruits, légumes	Neutralisent les radicaux libres qui peuvent endommager les cellules
Lutéine	Légumes verts	Réduit les risques de dégénérescence maculaire
Lycopène	Produits de tomate (ketchup, sauces)	Réduit les risques de cancer de la prostate
Fibres alimentaires		
Fibres insolubles	Son de blé	Réduisent les risques de cancer du sein ou du côlon
Fibres solubles	Avoine, orge, psyllium	Protègent contre les maladies du cœur et certains cancers ; abaissent le taux de lipoprotéines de basse densité et le cholestérol total ; augmentent la sensation de satiété et aident à contrôler la glycémie
Acides gras		
Acides gras oméga-3 – acide déhydracétique/acide eicosapentanoïque	Huile de saumon et d'autres poissons	Réduisent les risques de maladies cardiovasculaires ; améliorent les fonctions mentales et visuelles ; diminuent l'inflammation
Acide linoléique conjugué (ALC)	Fromage, produits carnés	Améliore la constitution corporelle ; diminue les risques de certains cancers

Composants fonctionnels	Source	Avantages potentiels
Composés phénoliques		
Anthocyanidines	Fruits	Neutralisent les radicaux libres ; réduisent les risques de cancer, de maladies cardiovasculaires, de troubles de la mémoire
Catéchine	Thé	Neutralise les radicaux libres ; réduit les risques de cancer et les maladies cardiovasculaires
Flavonones	Agrumes	Neutralisent les radicaux libres ; réduisent les risques de cancer et les maladies cardiovasculaires
Flavones	Fruits/légumes	Neutralisent les radicaux libres ; réduisent les risques de cancer et les maladies cardiovasculaires
Lignans	Lin, seigle, légumes	Préviennent certains types de cancer et les maladies cardiovasculaires
Tanins (proanthocyanidines)	Canneberges, chocolat	Améliorent la santé de l'appareil urinaire ; réduisent les risques de maladies cardiovasculaires
Phytostérols		
Ester de stanol	Maïs, soja, blé	Abaisse la cholestérolémie en inhibant l'absorption du cholestérol
Prébiotiques/probiotiques		
Fructo-oligosaccharides (FOS)	Topinambours, échalotes, poudre d'oignon	Améliorent la qualité de la flore microbienne intestinale ; santé gastro-intestinale
Probiotiques	Yogourt, kéfir, autres produits laitiers, aliments fermentés (choucroute)	Améliorent la qualité de la flore microbienne intestinale ; santé gastro-intestinale

Composants fonctionnels	Source	Avantages potentiels
Phytoestrogènes du soja		
Isoflavones : Daidzein Genistein	Soya et aliments à base de soya	Peuvent diminuer les symptômes de la ménopause (p. ex. : bouffées de chaleur) ; préviennent les cardiopathies et certains cancers ; abaissent le taux de lipoprotéines de basse densité et le cholestérol total

SOURCE : INTERNATIONAL FOOD INFORMATION COUNCIL

Nos besoins quotidiens

À titre indicatif, voici un rappel établissant la consommation quotidienne de certains éléments essentiels pour demeurer en santé après 40 ans. Dans la majorité des cas, il est possible d'atteindre ces seuils simplement en ayant quotidiennement une alimentation variée.

Calcium

1000 mg/jour jusqu'à 50 ans tant pour l'homme que la femme et 1200 mg pour la femme après cet âge.

Vitamine D

Santé Canada recommande aux personnes de moins de 50 ans de consommer 200 UI (unités internationales), et 400 UI après 50 ans, alors que la Société canadienne du cancer, entre autres, suggère d'en consommer de 400 UI à 1000 UI en automne et en hiver.

Protéines

Les protéines devraient représenter de 15 % à 35 % de votre apport calorique quotidien. Une autre façon de déterminer l'apport idéal en protéines dont vous avez besoin est de multiplier votre poids par 0,8 gramme.

Lipides

On recommande généralement de limiter la consommation de lipides à environ 30 % des calories absorbées chaque jour. On suggère aussi que, de préférence, la majeure partie de ces lipides proviennent de gras mono et polyinsaturés.

Glucides

Source d'énergie, les glucides devraient représenter entre 40 % et 55 % de l'apport calorique quotidien selon que vous êtes peu ou très actif physiquement.

Fibres

Les femmes devraient consommer une moyenne de 25 grammes de fibres par jour et les hommes, 38 grammes.

Pour connaître la teneur de chacun de ces éléments dans les aliments que vous consommez, consultez le Guide alimentaire canadien ou les sites web de Santé Canada ou du ministère de la Santé du Québec.

Attention !

Notez que les recommandations citées ici correspondent à des moyennes et qu'elles peuvent varier selon les personnes, l'état de santé et même, dans certains cas, selon les saisons. Elles ne remplacent en rien les avis professionnels émis par votre médecin ou tout autre spécialiste de la nutrition.

Chapitre

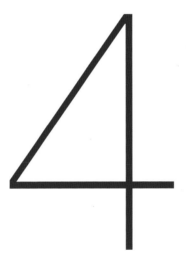

LES DIÈTES. UN PASSAGE OBLIGÉ ?
PAS SÛR...

Vous êtes insatisfait de votre poids ou de votre morphologie ? C'est plutôt fréquent dans la quarantaine... En effet, les études récentes montrent que trois femmes sur quatre désirent maigrir et que, pour plus de 20 % d'entre elles, la gestion de leur poids est au centre de leurs préoccupations. Du côté des hommes, les chiffres se situent entre 35 % et 40 %, avec une hausse faible mais constante...

C'est incroyable de voir combien le poids occupe une grande place dans la vie des gens. Trop grande, peut-être ? Combien de fois, lors de soupers, au boulot, dans l'autobus, on entend les gens parler de ces kilos qu'il leur faudrait perdre pour enfin toucher au bonheur... Moi aussi, il m'est arrivé d'avoir envie de transformer mon corps. J'ai plutôt changé ma façon de parler de mon corps. Ce corps qui est le mien et qui me permet d'être... Saskia. Et à 41 ans, je comprends par-dessus tout que je dois tout mettre en œuvre pour le garder en forme et en santé...

Une industrie affamée !

Consciente du mal-être qui règne et de la relation ambivalente qu'ont les gens avec leur corps, l'industrie florissante des produits amaigrissants a vite compris qu'il y avait là une source de revenus exponentielle. D'autant plus qu'elle bénéficie désormais d'un argument supplémentaire (oserait-on dire de poids !) pour nous convaincre d'utiliser ses produits : l'obésité, en plus de nous affecter sur le plan psychologique, est devenue l'une des principales causes des maladies endémiques. Par ailleurs, ce problème de surpoids qui touchait jusqu'ici surtout l'Occident se répand maintenant dans les pays émergents, au point que l'Organisation mondiale de la santé a dû, en 2013, élever l'obésité au rang d'épidémie.

Dans les faits, les dépenses annuelles consenties à l'achat de produits amaigrissants atteignent aujourd'hui les 70 milliards de dollars aux États-Unis. Au Québec, on estime à un peu moins de 100 millions de dollars par année le budget investi en produits divers pour perdre du poids. Difficile en fait d'échapper au syndrome de la minceur, et même de la maigreur, quand, tant dans les pubs que dans les médias, on nous impose une image du corps idéal, une image dont la silhouette est souvent trafiquée numériquement.

Question d'approche

Rappelons-le, il est tout à fait normal que votre allure physique et votre état de santé fassent partie des nombreuses remises en question qui vous assaillent avec l'arrivée de la quarantaine. Vous n'avez pas non plus à vous sentir coupable de vouloir vieillir avec élégance… Mais il est tout aussi essentiel que vous vous interrogiez sur les moyens qui sont à votre portée pour arriver à trouver la silhouette qui vous convient. Vous admettrez qu'il n'y a pas un profil unique auquel il faut aspirer. Visez un but que vous vous êtes fixé et non celui qu'on cherche à vous imposer ! Un objectif réaliste qui tient compte de votre morphologie et de votre héritage génétique.

Ainsi, que vous souhaitiez éliminer quelques kilos en trop par coquetterie ou que vous deviez consentir de plus gros efforts parce que les circonstances de la vie ont fait en sorte que vous avez accumulé les kilos sans trop vous en rendre compte, tous les spécialistes en santé et en nutrition vous le diront, il n'existe qu'une seule solution efficace et éprouvée à long terme : apprenez à réguler votre poids. De la même façon que vous gagnez du poids progressivement, vous devez le perdre graduellement en mangeant moins, en modifiant vos habitudes alimentaires et en bougeant davantage. Toutes les autres solutions comme les diètes, les pilules miracles et même les crèmes amaigrissantes peuvent certes apporter une satisfaction momentanée mais s'avèrent presque toujours décevantes à long terme.

Rappelez-vous toujours que quels que soient les mérites attribués aux diètes ou au conditionnement physique, le premier facteur de réussite pour maintenir ou perdre du poids, c'est vous! En manifestant un minimum de patience et en vous entourant de spécialistes de la santé (médecin spécialisé en médecine nutritionnelle, nutritionniste, kinésiologue spécialisé en nutrition) qui vous guideront dans votre démarche plutôt qu'en vous en imposant une, vous mettrez toutes les chances de votre côté.

Efficaces, les régimes?

Votre corps, en principe, est programmé pour établir naturellement son équilibre. Pour lui faciliter la tâche, vous gagnez à respecter la règle de base voulant que l'on dépense en énergie l'équivalent de ce que l'on consomme en calories. Par exemple, imaginez que vous consommiez chaque jour l'équivalent d'un morceau de sucre en trop par rapport à votre dépense énergétique: eh bien, ce seul morceau de sucre vous fera prendre 20 kilos en 30 ans.

Comme le métabolisme ralentit avec la quarantaine, la solution la plus évidente est donc de diminuer votre apport calorique ou d'augmenter vos activités physiques. Généralement, cette seule démarche suffira pour maintenir un poids constant sans même devoir modifier de façon importante vos habitudes alimentaires.

Pour les personnes en surpoids ou obèses, l'effort devra être plus grand parce qu'il leur faudra modifier davantage leurs habitudes alimentaires (grosseur des portions, consommation de sucre et de gras, entre autres). Cela ne signifie pas pour autant qu'elles devront s'astreindre à ne manger que des crudités! Contrairement à ce que l'on croit généralement, il est possible de perdre du poids tout en prenant plaisir à manger.

En suivant ces quelques règles de base, vous ressentirez rapidement un mieux-être qui ne pourra que vous inciter à poursuivre votre démarche. La satisfaction de soi est un moteur puissant. Vous réaliserez, avec un peu de persévérance, que les bonnes habitudes sont aussi faciles à prendre et à suivre que les mauvaises!

Chercher la satiété

Une des principales raisons qui font que l'on risque de consommer trop de calories vient du fait que l'on ne se sent pas rassasié. Voici quelques conseils pour vous aider à obtenir un sentiment durable de satiété et ainsi manger moins :

1. Assurez-vous de consommer des protéines à tous les repas. Comme elles se digèrent plus lentement, le sentiment d'être rassasié durera plus longtemps.

2. Les conventions sociales et nos modes de vie font que nous consommons trois repas par jour. Dans ce cadre, ne négligez pas le déjeuner. Plusieurs spécialistes en nutrition considèrent que le déjeuner devrait équivaloir au dîner pour ce qui est de l'apport calorique. Des collations complètes en glucides, lipides et protides permettront aussi d'abaisser votre index glycémique. Tout est une question de portions !

3. Mangez lentement en prenant le temps d'apprécier le goût et les arômes de vos aliments. Prendre plaisir à manger est important ! Vous aurez alors moins tendance à vous goinfrer par réflexe ou à avaler tout ce que vous avez sous la main et en trop grande quantité. Écoutez ce que vous dit votre corps plutôt que de vous laisser distraire par votre ordi ou la télé.

4. Mangez lorsque vous avez faim (et non pas parce que c'est l'heure…) et arrêtez-vous aussitôt que le sentiment de satiété apparaît.

5. Avalez un verre d'eau idéalement de 20 à 30 minutes avant de manger : il contribuera à ce que vous vous sentiez repu.

6. Finalement, rappelez-vous que le métabolisme des femmes est, au départ, plus lent que celui des hommes. Conséquemment, leurs besoins caloriques diffèrent. Les femmes doivent donc adapter leurs portions et auraient même avantage, parfois, à consommer des aliments différents de manière à combler les exigences spécifiques de leur métabolisme. (voir le chapitre *Les bons aliments*, page 37)

Je me reconnais tellement dans l'encadré précédent, surtout dans le point 3! Je mange bien trop vite, j'en oublie même de savourer. C'est un peu paradoxal, je passe parfois plus de 30 minutes à préparer les repas et en moins de 8 minutes tout est fini! Surtout avec les enfants : j'ai pris ce très mauvais pli de me dépêcher de manger. J'ai même l'impression d'oublier de respirer! D'ailleurs, en prenant le temps de prendre le temps, j'ai réalisé qu'à un certain moment, je m'arrête pour prendre une grande respiration. Et cette respiration est souvent un signe que mon estomac est bien rempli. Comme un souffle qui m'envoie ce fameux signe de satiété. Je vous invite à faire le test!

Diètes : les reproches

Si l'efficacité à court terme des diètes amaigrissantes est rarement remise en question, les spécialistes en nutrition s'entendent tout de même sur le fait qu'elles sont inefficaces dans plus de 90 % des cas à long terme. Pire : selon les nutritionnistes, les diètes peuvent parfois créer une dépendance psychologique et, dans une majorité de cas, elles contribuent même en bout de ligne à une augmentation du poids initial de la personne qui a suivi un régime amaigrissant. Ce risque est cependant moins élevé lorsqu'il s'agit d'une diète santé (voir le chapitre suivant).

Pourquoi une telle inefficacité à long terme? Parce qu'un régime amaigrissant strict entraînera une diminution de votre masse musculaire et qu'aussitôt que vous augmenterez vos portions, une fois le poids souhaité atteint, votre corps comprendra qu'il doit stocker ces calories dans la masse graisseuse en prévision de la prochaine période de privation. Cette réaction naturelle de survie s'amplifie d'ailleurs après la quarantaine.

Les régimes ne fonctionnent pas parce qu'ils ne vous donnent pas la possibilité de changer vos habitudes. Les chercheurs affirment que cela peut prendre de 30 à environ 280 essais pour un nouveau comportement à devenir une habitude.

Ce sont les diètes hypocaloriques de 1100 calories et moins par jour qui représentent généralement le plus grand risque d'une importante reprise de poids. Sachez que vous ne pouvez pas revenir à un apport calorique plus élevé après avoir habitué votre corps à moins de calories, sauf si vous avez augmenté de façon considérable votre dépense calorique. Votre métabolisme aura tendance à stocker ces graisses de manière à ce qu'il vous soit ensuite plus difficile de les éliminer rapidement.

Je n'ai pas la dent sucrée, mais j'ai toujours mis beaucoup de sucre dans mon café. C'était un vrai délice, presque un dessert! Et puis un jour, je me suis dit que, quatre sucres, vraiment… Alors j'ai pris la résolution de boire mon café seulement avec du lait. C'est pas grand-chose, hein? Mais ce sevrage m'a pris presque un an. Vous allez penser: « C'est bien long, franchement! » En effet, acquérir de nouvelles habitudes est un long processus, ou alors ça demande une volonté d'acier pour y parvenir du jour au lendemain. Mon conseil: si vous souhaitez apporter des changements à votre routine ou à votre menu, commencez par déterminer le bon moment dans la semaine, ou dans le mois, pour une transition en douceur. Les changements ne doivent surtout pas être un irritant de plus dans votre quotidien déjà chargé…

Et le jeûne, alors ?

De plus en plus de personnes, découragées par l'inefficacité à long terme des diètes, se tournent vers une nouvelle tendance : le jeûne. Il existe même un tourisme du jeûne !

Ceux qui prêchent cette approche affirment qu'elle permet de nettoyer notre organisme, de le régénérer et de prévenir certaines maladies. Aucune étude scientifique ne valide jusqu'ici toutes ces hypothèses.

Médecins et spécialistes en nutrition s'entendent aussi sur le fait que quiconque voudrait soumettre son métabolisme à un tel stress doit au départ posséder une bonne santé. Le jeûne est donc fortement déconseillé à toute personne souffrant de maladies rénales, cardiovasculaires, hépatiques ou d'un diabète traité à l'insuline.

Même si certains soutiennent que lorsqu'on jeûne, on ne devrait consommer que de l'eau, dans la plupart des centres où on le propose, le jeûne n'est pas complet, il dure rarement plus d'une semaine et le client est placé sous supervision d'un professionnel de la santé. Durant cette période, on remplacera les repas par des jus, des bouillons et des tisanes. On ajoutera aussi des suppléments multivitaminés ainsi que des oligoéléments pour minimiser le stress imposé au corps.

Si vous êtes séduit par le jeûne et le discours parfois sans nuances qu'on retrouve sur les réseaux sociaux, sachez que de se lancer dans un jeûne sans supervision comporte des risques. Il arrive fréquemment que celui qui le pratique soit atteint de vertiges, de troubles de vision, de chutes de pression artérielle et, dans le pire des cas, de convulsions. La perte de masse musculaire aura aussi souvent pour effet d'induire une fatigue chronique.

Jeûner pour maigrir ?

Il est indéniable qu'un des premiers effets du jeûne sera la perte de poids. En fait, les personnes qui possèdent au départ un surplus de poids peuvent perdre de 200 à 500 grammes par jour. Toutefois, tout comme dans le cas des diètes amaigrissantes, le corps soumis à un jeûne aura lui aussi tendance à fabriquer et à stocker des matières grasses une fois la cure terminée.

(Une diète prônant le jeûne intermittent est très à la mode : il s'agit du régime 5 : 2, soit cinq jours d'alimentation normale et deux jours de diète. Pour en savoir plus, rendez-vous à la page 77.)

À la diète malgré tout ?

Au Québec, on estime que la moitié des femmes s'astreignent à au moins deux diètes amaigrissantes chaque année, et ce n'est pas le choix qui manque (voir le chapitre *La nature et les limites des diètes*, page 67) ! Si vous vous laissez tenter par l'un ou l'autre de ces régimes, évitez l'autodiagnostic quant au choix de la méthode de perte de poids qui vous semble la mieux adaptée pour vous. Ne succombez pas spontanément à la diète à la mode en pensant que la dernière en date doit nécessairement être la meilleure, ou encore parce que vous appréciez son porte-parole jeune, mince, bronzé qui n'a absolument pas le même métabolisme ni le même mode de vie que vous !

> *Mincir, peut-être, mais pas de n'importe quelle façon ! Prenez le temps de vous informer, puis consultez un médecin ou un nutritionniste qualifié afin de faire un bilan de santé et de trouver la solution qui vous convient le mieux. Ne jouez pas à la loterie avec votre santé, surtout si vous avez un surpoids important. Conseil d'amie !*

Enfin, si vous décidez de vous mettre au régime, n'imposez pas votre démarche à tous les membres de votre famille, même si vous croyez que leur soutien pourrait être un facteur déterminant de votre réussite. Il est clairement établi que de nombreuses diètes sont contre-indiquées pour les enfants, et parfois pour les adolescents. Ne risquez pas de nuire à leur développement.

La Journée internationale sans diète

Inquiets des effets néfastes à long terme des diètes et autres produits amaigrissants, les spécialistes de la santé et de la nutrition ont jugé bon de créer la Journée internationale sans diète, qui se tient chaque année le 6 mai. Ils y voient une façon de sensibiliser la population au fait que les diètes, les détoxyfiants* et autres produits miracles pour maigrir sont dans la grande majorité des cas inefficaces à long terme, mais représentent aussi un risque pour la santé physique et mentale. Cette journée de sensibilisation nous rappelle aussi que la diversité corporelle existe et qu'il est possible d'être bien dans sa peau sans pour autant se plier aux dictats de la minceur.

Avant d'adopter une diète

Avant d'opter pour un régime amaigrissant, vous devriez vous poser les questions suivantes :

1. Propose-t-il une perte de poids graduelle ou rapide ?
   On s'entend généralement pour dire que la perte de poids maximum devrait être de 900 g (2 lb) par semaine.

2. Est-ce que des professionnels reconnus de la santé (médecins, nutritionnistes, infirmières) considèrent qu'il est bien adapté à votre physiologie et à votre état de santé et peuvent-ils vous fournir un encadrement à long terme ?

---

* Produits qui prétendent éliminer les éléments toxiques qui s'accumulent dans notre corps.

3. Cette diète tient-elle compte de vos goûts alimentaires personnels et favorise-t-elle une alimentation variée sans trop d'interdits ?

4. Est-il possible de l'adapter à vos activités familiales et professionnelles ?

5. A-t-on identifié des contre-indications pouvant avoir de possibles effets secondaires ou même représenter des dangers pour votre santé ? C'est le cas parfois avec les diètes hypocaloriques qui peuvent provoquer des étourdissements, un dérèglement du système digestif, une baisse de la concentration et même de l'arythmie cardiaque.

6. Dans le cas où la diète impose l'achat de produits ou de plats préparés, quels sont les coûts que vous devrez débourser ? Si vous abandonnez la diète en cours de route, des pénalités sont-elles prévues ?

ATTENTION

Lorsque vous consulterez votre nutritionniste, n'oubliez pas de lui indiquer toute prise de médicaments ou encore des problèmes de santé comme le diabète ou l'hypertension. Vous devrez aussi vous soumettre à une évaluation médicale régulière pour déterminer si votre besoin de médicaments et leur dosage changent au cours de votre démarche de perte de poids.

Chapitre

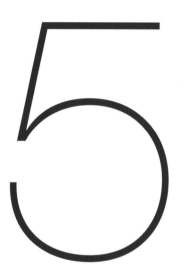

LA NATURE ET LES LIMITES DES DIÈTES

Si vous vous intéressez, comme beaucoup, à l'univers des régimes amai-grissants, vous avez sans doute constaté qu'il est quasi infini et en constante expansion. Pour vous y retrouver, voici un rapide tour d'horizon des grandes tendances ainsi qu'un survol de celles qui sont désormais bien ancrées et qui continuent de faire la fortune de l'industrie de l'amaigrissement.

Les diètes sont classées ici en deux catégories :

- *les régimes amaigrissants, dont l'objectif affirmé est de vous faire perdre du poids plus ou moins rapidement ;*

- *les régimes alimentaires, pour vous aider à rester en santé, et dont l'une des conséquences est aussi bien souvent de vous faire perdre du poids, grâce aux bonnes habitudes alimentaires qu'elles proposent.*

Vous m'avez peut-être déjà entendu dire combien je ne suis pas une adepte des régimes amaigrissants. Or, je comprends que les diètes sont la solution à retenir lorsque la perte de poids devient nécessaire... pas pour parader dans son bikini, mais plutôt parce que le médecin le recommande fortement ! J'espère que vous aborderez ce chapitre avec curiosité, mais en aucun cas nous ne vous recommandons d'entamer l'un ou l'autre de ces régimes sans en avoir parlé à un professionnel de la santé. C'est votre santé qui est importante, pas seulement votre look !

Les régimes amaigrissants

Diètes protéinées et hyperprotéinées

Leur origine

Ce type de diètes (plusieurs parlent plutôt de jeûne), est apparu au début des années 1970, en réponse aux travaux du D' George Blackburn. Celui-ci cherchait à établir avec précision les besoins en protéines complètes nécessaires à notre organisme pour ne pas perdre de masse musculaire, même si on lui imposait une diminution drastique de calories. Ses recherches lui ont permis de mettre au point une diète protéinée pouvant faire perdre rapidement du poids aux obèses.

Leur objectif

Forcer le corps à puiser dans ses réserves de gras afin de les éliminer le plus vite possible.

Leur principe

Ces diètes offrent un apport exceptionnel en protéines et une consommation quotidienne minimale en calories (autour de 600). Ainsi, en absorbant moins de glucides, notre corps puise dans ses réserves de sucre pour équilibrer son taux de glycémie.

Leur type d'alimentation

Les diètes protéinées ou hyperprotéinées comportent généralement trois phases distinctes. Dans un premier temps, on n'ingurgite aucun aliment solide, sauf quelques légumes bien définis par la diète, qu'on peut toutefois consommer à volonté (céleri, radis, concombre, laitue, épinards, entre autres). Ces « repas » sont accompagnés de protéines liquides.

Dans la deuxième phase, dite de transition, on intégrera petit à petit des sucres lents (pain, pâtes, riz), puis on ajoutera, sous diverses formes et selon le métabolisme de chacun, des sels minéraux, des fibres et des vitamines. Enfin, la troisième phase est celle des repas complets qui ne contiennent que des aliments dont l'index glycémique est peu élevé.

Leurs limites

Plusieurs spécialistes en nutrition estiment que la perte rapide de poids est surtout due à un effet diurétique plutôt qu'à une baisse réelle de la masse graisseuse. En effet, comme le but initial est de forcer le corps à puiser dans ses réserves de sucre et que le glycogène renferme 3 g d'eau pour 1 g de glucose, le poids perdu découle d'abord d'une déshydratation et d'une diminution de la masse graisseuse. Cette dernière diminuera davantage à condition que l'on suive la diète sur une période prolongée.

Leur application

En raison du faible niveau de calories consommées et de la déshydratation, si vous suivez ces diètes, vous constaterez une diminution rapide de votre poids.

Comme les protéines à la base de ces diètes sont plus difficiles à digérer et demeurent plus longtemps dans le système digestif, vous ressentirez un effet durable du sentiment de satiété.

Par contre, il est difficile de respecter à la lettre ce type de diètes tout en fréquentant les restos. En raison des restrictions alimentaires qu'il impose, ce type de diètes devient vite monotone et donc difficile à suivre à long terme. Il n'encourage guère non plus de modifications de vos habitudes alimentaires.

Ces diètes sont associées à un risque élevé d'une reprise et même d'une augmentation de la masse graisseuse à moyen et long terme.

Enfin, comme le corps est privé de nombreux éléments nutritifs, ce type de diètes nécessite un suivi professionnel rigoureux.

Diète Atkins

Son origine

La diète porte le nom de son créateur, le Dr Atkins. Ses recherches l'ont amené à penser que le succès de la perte de poids réside, pour l'essentiel, dans le contrôle de la consommation des glucides qui alimentent notre énergie. On reprocha à la première version de sa diète d'être trop complexe, mais de récents aménagements en ont simplifié les étapes, lui donnant un second souffle.

Ses objectifs

En plus de viser une perte de poids, la diète Atkins prétend avoir des effets préventifs et curatifs, comme de diminuer la pression artérielle, de prévenir le diabète de type 2 ou encore d'éliminer les brûlures d'estomac, les pierres aux reins, l'insomnie, les maux de tête et les migraines…

Son principe

La version la plus récente de la diète Atkins implique quatre phases. Dans un premier temps, pour activer la phase d'amaigrissement, on doit réduire durant les deux premières semaines à 20 g par jour la consommation de glucides assimilables, et ces derniers doivent provenir en majorité de légumes non féculents. Tous les aliments contenant du sucre ou des céréales sont proscrits. Pour combler les besoins nutritionnels, la diète suggère la prise de multivitamines, de minéraux et d'acides gras.

Lors de la seconde phase, on peut réintroduire progressivement des aliments contenant des glucides, mais sans en ajouter plus de 5 g par jour. Cette phase dure jusqu'à ce que vous ayez atteint un poids de 5 kilos supérieur à celui que vous souhaitez atteindre.

La troisième et la quatrième phases consistent à ralentir la perte de poids puis à stabiliser le poids. Vous ajoutez d'abord à votre alimentation 10 g de glucides par semaine jusqu'à ce que le poids visé soit atteint. Ensuite, pour s'assurer que ce poids demeure stable, vous devez vous reporter à la charte Atkins qui détermine la quantité de glucides que vous pouvez désormais consommer sans reprendre de poids. Cette quantité variera selon les individus et le fonctionnement de leur métabolisme.

Son type d'alimentation

L'absorption d'aliments et de suppléments est clairement définie par la « bible » établie par les créateurs de la diète et doit être respectée scrupuleusement pour que la diète soit efficace.

Ses limites

Cette diète impose des restrictions alimentaires sévères, surtout lors des deux premières phases. Par ailleurs, ce type de diètes contraignantes amène souvent les personnes qui les suivent à en déroger à l'occasion pour se faire plaisir. Ces écarts peuvent les mener à une rapide reprise de poids.

Son application

Suivre la diète Atkins exige, en raison des nombreuses restrictions qu'elle impose, de faire preuve d'imagination lors de la préparation des repas.

Cette diète, sauf exceptions, est difficile à respecter dans les restaurants, où les menus contiennent souvent des plats riches en glucides.

Méthode Montignac

Son origine

La diète Montignac compte parmi les cures d'amaigrissement les plus connues, notamment en raison de la personnalité médiatique de son créateur, Michel Montignac. C'est en tentant de trouver une solution à son propre problème de poids qu'il en est arrivé à la conclusion que la responsabilité de ce surpoids était imputable à une sécrétion d'insuline trop élevée.

Ses objectifs

Non seulement son inventeur affirme que sa diète permet de perdre durablement du poids, mais il prétend aussi qu'elle a des effets bénéfiques sur tout le métabolisme en permettant de réguler les taux de cholestérol, d'insuline et de triglycérides.

Son principe

Cette diète mise sur la qualité des aliments consommés plutôt que sur le volume des portions absorbées. En fait, elle repose sur le principe que ce qui doit être considéré en priorité, c'est comment réagit le système digestif aux divers aliments que vous lui fournissez et quelles hormones il sécrète lors de leur digestion. Selon les recherches de Montignac, il faut éliminer, sinon réduire considérablement la consommation des aliments qui font augmenter de façon importante le taux de glucose dans le sang.

Son type d'alimentation

La diète Montignac comporte deux phases. Dans un premier temps, on élimine tous les sucres concentrés, sauf le fructose, ainsi que tous les aliments dont l'index glycémique est élevé (supérieur à 50). Ces aliments ont d'ailleurs donné naissance à la formule simplifiée des 3 P à éviter : pâtes, pain, patates. Quant à l'index glycémique, il sert à classer les aliments en fonction de l'augmentation du taux de glucose induit dans votre sang lorsque vous les consommez.

Au cours de cette première phase, vous devez aussi éviter de combiner toute forme de féculent avec des protéines animales (viande, volaille, poisson, œufs), mais vous pouvez consommer à volonté des aliments riches en protéines et en lipides, pourvu qu'ils ne contiennent pas de glucides.

La deuxième phase de la diète implique qu'elle soit suivie à vie si vous voulez éviter de reprendre du poids. Les sucres concentrés comme les aliments à index glycémique élevé demeurent interdits alors que les combinaisons alimentaires proscrites lors de la première phase ne le sont désormais plus. Vous pouvez aussi, à cette étape, accompagner vos repas en buvant du vin avec modération.

Ses limites

L'approche basée sur l'index glycémique des aliments a des avantages mais aussi des limites. Personne ne réagit de la même façon à ce processus de digestion et de transformation des aliments ingurgités.

Plusieurs nutritionnistes considèrent aussi qu'il faudrait tenir compte à la fois de l'index glycémique et de sa charge. Un aliment peut avoir un index élevé, mais une charge glycémique faible. C'est le cas de certains fruits, par exemple.

Son application

Des études récentes tendent à démontrer que la diète Montignac permet de consommer 25 % moins de calories sans ressentir pour autant la faim. Elle peut aussi facilement être suivie dans les restos végétariens, mais plus difficilement dans les autres types de restaurants.

Comme cette diète exige que son deuxième volet soit suivi toute la vie, elle requiert beaucoup de discipline.

Il semble finalement que la diète Montignac soit plus efficace pour les hommes que pour les femmes.

Diète paléolithique

Son origine

Même si elle fait partie des dernières tendances en matière de diète, on ne peut guère parler de véritable nouveauté dans le cas de la diète paléolithique puisqu'elle se base sur ce que mangeaient nos lointains ancêtres.

On doit sa récente popularité à un radiologiste et anthropologue médical, le Dr Eaton. Celui-ci a publié, dans les années 1980, un article scientifique affirmant que l'alimentation devrait toujours refléter les habitudes alimentaires qui prévalaient à l'âge de pierre. D'autres chercheurs ont élaboré une diète tenant compte des connaissances et des modes de vie actuels.

Ses objectifs

La diète paléolithique vise d'abord une perte de poids et, comme pour beaucoup d'autres approches, elle prétend contribuer à une amélioration générale de l'état de santé. Parmi les effets bénéfiques supposés de cette diète, on évoque notamment une augmentation de l'énergie vitale et une amélioration des fonctions du système digestif. On affirme aussi qu'elle permettrait de se prémunir contre certaines maladies plus fréquentes après 40 ans, comme l'hypertension, les problèmes cardiovasculaires et l'ostéoporose.

Son principe

L'idée de base sur laquelle repose la diète paléo veut que comme le génome humain a très peu évolué depuis 40 000 ans, les habitudes alimentaires que nous avons développées ensuite agressent notre métabolisme qui, lui, a conservé les mêmes besoins et exigences qu'avaient nos ancêtres. Ainsi, la diète paléo déconseille le recours à deux des grands groupes alimentaires, soit les produits laitiers et leurs dérivés ainsi que les céréales, incluant le pain.

La diète paléolithique est faible en glucides. En fait, elle suggère que le régime alimentaire ne comprenne qu'une proportion de 20 à 40 % de glucides alors que la consommation actuelle en Amérique du Nord se situe plutôt autour de 50 à 60 %.

Son type d'alimentation

Même si la cuisson était déjà apparue à l'époque paléolithique, les promoteurs de cette diète considèrent que l'alimentation reposait surtout sur des aliments crus. Toutefois, compte tenu du contexte actuel, les versions plus récentes de ce régime comprennent des aliments cuits. Évidemment, les viandes bio seraient plus en harmonie avec le principe de la diète.

La diète paléo permet la consommation de viandes maigres, de volaille, de poissons et de fruits de mer, ainsi que de tous les fruits et les légumes contenant peu d'amidon de même que des noix et des graines. Par contre, elle proscrit tous les produits céréaliers, les légumineuses, les produits laitiers et les aliments transformés. On doit aussi éviter les légumes riches en amidon (entre autres la pomme de terre et le manioc), les viandes grasses et le sucre et le sel ajoutés.

Ses limites

Les scientifiques ne sont pas unanimes sur le régime alimentaire de nos ancêtres, mais une majorité s'entend sur le fait que la dépense énergétique de l'époque était supérieure à celle d'aujourd'hui.

Plusieurs spécialistes en nutrition s'interrogent aussi sur les conséquences possibles d'une diète sans fibres solubles, qu'on retrouve en abondance dans les céréales entières et les légumineuses. Autrement, on reconnaît les bienfaits pour la santé des fruits et légumes.

Son application

Pour plusieurs tenants de la diète paléo, il est possible et même souhaitable de s'octroyer jusqu'à trois repas par semaine qui dérogent aux exigences de ce régime alimentaire. On considère que ces écarts occasionnels faciliteront le passage des anciennes habitudes alimentaires aux nouvelles.

Par ailleurs, en excluant deux des groupes alimentaires, il devient quasi impossible de varier son alimentation et, conséquemment, d'y trouver un plaisir durable. La diète est donc difficile à respecter à long terme.

Diète ou jeûne 5 : 2

La diète 5 : 2, aussi appelée jeûne intermittent, est une des plus récentes propositions pour vous aider à perdre du poids. Elle a été élaborée au Royaume-Uni par Michelle Harvie et Tony Howell à la suite d'études menées dès le début des années 2000 par une équipe du Genesis Breast Cancer Prevention Centre. Leur motivation : comme le surpoids est un facteur favorisant le développement de certains cancers et que la recherche et le maintien d'un poids équilibré est le seul véritable élément sur lequel tout le monde peut agir, l'idée était de créer une diète qui permettrait d'atteindre ce poids équilibré, et ce, avec un minimum d'inconfort.

Ses objectifs

Entraîner une perte progressive de poids, sans créer les habituelles frustrations liées aux diètes exigeant de nombreuses privations. La diète 5 : 2 prétend aussi contribuer à une plus grande vitalité et, au vu des résultats, à une plus grande confiance en soi.

Son principe

Comme son nom l'indique, la diète consiste à manger normalement cinq jours par semaine et à jeûner ensuite deux jours consécutifs. En fait, lors des deux jours de jeûne, on doit limiter sa consommation calorique à 500 calories pour une femme et à 600 pour un homme, ces calories ne contenant aucuns glucides. Mais bien sûr, il n'est pas autorisé pour autant de manger n'importe quoi les cinq autres jours ! L'alimentation doit être équilibrée.

Pour les tenants de cette diète, l'un des effets recherchés lors du jeûne est de transformer les gras en corps cétoniques, qui sont des sources d'énergie pour le cerveau et le cœur.

Son type d'alimentation

Même s'il n'y a pas de véritables restrictions sur le type de nourriture consommée durant cinq des jours de la diète, vos repas doivent néanmoins être équilibrés. On conseille, lors des jours de jeûne, de manger beaucoup de légumes en raison de leur faible teneur calorique et du sentiment de satiété qu'ils procurent. Les soupes et les salades sont donc tout indiquées. Vous pouvez aussi consommer du café et du thé sans sucre et beaucoup d'eau.

Ses limites

En raison de sa nouveauté, on ne trouve guère d'études sur les bienfaits ou les inconvénients liés à cette diète. Mais comme elle impose un jeûne, il existe toujours un différend entre ceux qui sont pour et contre ce genre de restriction.

Son application

Sauf durant les deux jours de jeûne, cette diète peut être facilement respectée au restaurant.

Une contre-indication cependant : elle n'est pas recommandée aux personnes ayant un indice de masse corporelle inférieur à 18,5.

Diète Weight Watchers

Son origine

Au début des années 1960, réalisant que plusieurs femmes de son entourage partageaient avec elle le goût de perdre du poids sans trop savoir comment s'y prendre, Jean Nidetch eut l'idée de les réunir pour en discuter et s'aider jusqu'à ce que chacune ait atteint ses objectifs. Les Weight Watchers étaient nés. Aujourd'hui, ce mouvement est présent dans de nombreux pays et on trouve même désormais des produits alimentaires affichant le logo du groupe.

Son objectif

L'objectif des Weight Watchers est toujours celui qui animait la première communauté, soit se donner les moyens et s'encourager à perdre du poids. Les adhérents au mouvement croient qu'il leur sera plus facile d'atteindre leur objectif s'ils ont le soutien de leurs pairs.

Son principe

À l'origine regroupement collectif de motivation et de soutien, le mouvement s'est ensuite adjoint des spécialistes en nutrition capables de fournir aux participants des conseils pratiques reposant sur une base scientifique et qui appuient leurs efforts pour maigrir. On en est arrivé à privilégier une diète qui préconise une perte graduelle de poids (environ 1 kilo par semaine).

Depuis 2012, Weight Watchers a une nouvelle approche. Celle-ci favorise une façon différente de planifier ses repas et élimine les irritants des programmes antérieurs qui avaient recours à une méthode de calcul compliquée. La nouvelle diète considère à la fois l'énergie contenue dans les calories absorbées et l'énergie que déploie l'organisme pour les convertir lors de leur digestion. Elle tient aussi compte du sentiment de satiété que les aliments choisis procurent.

Son type d'alimentation

Chaque personne qui souhaite suivre la diète Weight Watchers doit d'abord être évaluée. Selon son sexe, sa taille, son poids et son âge, on lui attribuera un nombre de points quotidiens à respecter. Ces points sont établis de manière à

privilégier la consommation de fruits et de légumes, de protéines maigres, de produits laitiers à faible teneur en gras ainsi que de grains entiers. On trouve donc dans la documentation du mouvement des milliers de produits classés selon leur pointage.

Il appartient ensuite à chacun de composer ses menus quotidiens à partir de l'index Weight Watchers de manière à respecter le pointage qu'on lui a attribué. Il est également possible de s'attribuer des points additionnels si l'on pratique des activités physiques.

Ses limites

La perte de poids est pour l'essentiel due au déficit calorique qu'implique la diète.

Son application

Des enquêtes récentes démontrent que ceux qui adhèrent à Weight Watchers et qui participent régulièrement aux rencontres de motivation réunissent ainsi les conditions gagnantes pour perdre du poids.

On avance également que le fait de réduire la densité énergétique de ses repas pourrait être aussi sinon plus efficace pour certains individus que la simple réduction de la taille des portions.

Les diètes santé

Diète alcaline

Son origine

La diète alcaline, basée sur l'équilibre acido-basique du métabolisme, est surtout connue grâce aux travaux de la D^re Catherine Kousmine et de Christopher Vasey. Son origine est cependant nettement plus ancienne, puisque son principe fondateur a été énoncé dès le XIXe siècle à travers les doctrines holistiques de Mayr et Hay. L'approche s'est ensuite raffinée grâce aux travaux de bioélectronique, qui ont permis de mesurer plusieurs caractéristiques physiques et chimiques du sang et d'établir une norme définissant l'équilibre souhaitable entre le taux d'acidité et d'alcalinité.

Ses objectifs

Pour les tenants de la diète alcaline, il est possible, en respectant son équilibre acido-basique, de maintenir, sinon d'augmenter, son niveau d'énergie et de jouir d'une plus grande vitalité tout en se prémunissant contre un certain nombre de maladies, dont l'ostéoporose. Par ailleurs, si la diète alcaline ne vise pas directement une perte de poids, elle peut néanmoins y contribuer puisqu'elle suggère de consommer beaucoup de fruits et de légumes et peu d'aliments raffinés.

Son principe

Selon les partisans de la diète alcaline, le métabolisme contient des fluides alcalins et acides, les deux jouant des rôles clairement définis pour nous maintenir en santé. Par exemple, des recherches effectuées par les promoteurs de la diète ont permis d'établir que le sang devrait être alcalin et présenter un pH de 7,4.

Comme, la plupart du temps, les problèmes de santé surgissent lorsque le corps est trop acide, la diète propose d'en rétablir l'équilibre en visant une alimentation plus alcaline, en entreprenant une cure de citron et en prenant des suppléments de citrate alcalin, le tout en s'assurant de bien s'oxygéner.

Son type d'alimentation

L'idée derrière la diète alcaline est que nous surconsommons les aliments acides comme les viandes, les féculents, les produits laitiers, le café et l'alcool, tout en négligeant les aliments alcalins tels les fruits, les légumes, les noix et autres graines.

Pour les promoteurs de la diète, l'organisme aurait alors tendance à développer une acidose chronique de faible niveau. Pour contrer cet excès d'acidité, il puiserait alors dans ses réserves alcalines naturelles que sont les os, déjà fragilisés avec l'arrivée de la quarantaine. Ce déséquilibre pourrait aussi entraîner une fatigue chronique et diminuer les réserves d'oxygène nécessaires à la régénération des cellules, favorisant ainsi le développement d'organismes pathogènes.

Attention !

Précisons ici que l'acidité chronique de faible niveau, que cherche à combattre la diète alcaline, ne doit en aucun cas être confondue avec l'acidose métabolique aiguë. Cette dernière est un problème de santé grave qui se caractérise par le fait que les reins n'arrivent plus ou presque plus à éliminer l'acide excédentaire dans le métabolisme. Dans ce cas, un suivi médical rigoureux est essentiel. Les personnes souffrant de diabète de type 2, accablées de fortes diarrhées ou sous l'emprise d'une intoxication à l'aspirine, sont susceptibles de souffrir d'acidose métabolique aiguë, alors que l'acidose de faible niveau n'est généralement que la conséquence d'une mauvaise alimentation.

Ses limites

La principale difficulté liée à la diète alcaline consiste à établir clairement le taux d'acidité et d'alcalinité des aliments puisqu'on doit tenir compte de plusieurs facteurs complexes, dont leur teneur en protéines et en minéraux, leur taux d'absorption et le processus de leur métabolisation. Résultat : on se retrouve avec différentes classifications acido-basiques qui influent sur le choix des aliments à consommer ou à éviter.

Chez les spécialistes en nutrition, c'est du côté de la prévention de l'ostéoporose que cette diète trouve le plus d'appuis.

Son application

La diète alcaline, préconisant une consommation élevée de protéines, procure rapidement l'effet de satiété recherché.

Il est facile de la respecter au resto, sauf dans les établissements de restauration rapide.

Plusieurs spécialistes en nutrition ne suggèrent pas cette diète aux enfants puisqu'elle interdit certains éléments nutritifs essentiels à leur développement, comme les viandes et les produits laitiers.

Enfin, une consommation intense de fruits et légumes pourrait, surtout s'ils étaient jusque-là absents de l'alimentation, causer à court terme des problèmes intestinaux.

Végétarisme et végétalisme

Leur origine

On attribue généralement à Pythagore les premiers écrits sur le végétarisme, qu'il pratiquait lui-même. C'est dire que cette approche alimentaire n'est pas une tendance récente. À travers le temps, on compte parmi ses adeptes Leonard de Vinci, Gandhi et Einstein.

Pourtant, dans nos pays nordiques et carnivores, les végétariens ont longtemps été considérés comme des marginaux. Aujourd'hui, leur nombre est en hausse constante. On estime qu'un peu plus de 5 % de la population du Québec pratiquerait une forme ou une autre du végétarisme, sans compter ceux qui le pratiquent à temps partiel, une tendance qu'on nomme flexitarisme.

Leurs objectifs

Le végétarisme s'affiche d'abord comme un moyen simple et efficace de se maintenir en santé, de ressentir un mieux-être physique et de se prémunir contre les maladies qui découlent de mauvaises habitudes alimentaires et du surpoids. Il est toutefois fréquent que les adeptes du végétarisme perdent du poids, principalement en raison de leur alimentation plus équilibrée.

D'autres motivations peuvent animer les végétariens : en plus d'être persuadés que leur pratique demeure la façon la plus saine de s'alimenter, certains y voient un choix éthique et environnemental. Une façon de contester ou à tout le moins de contourner l'industrialisation intensive des élevages, où le bien-être des animaux est peu considéré.

Leur principe

Si, à la base, le végétarisme est une forme d'alimentation excluant les viandes, la volaille, les poissons et les fruits de mer, plusieurs de ses adeptes consomment néanmoins des œufs et des produits laitiers. L'ovo-lacto-végétarisme est en effet la forme de végétarisme la plus courante en Amérique du Nord. Ceux qui ne mangent que des produits issus du règne végétal se qualifient de végétalistes. Enfin, les flexitaristes, tout en privilégiant une alimentation végétarienne, consomment à l'occasion de la volaille ou du poisson, et plus rarement de la viande.

Leur type d'alimentation

On a longtemps prétendu que les tenants du végétarisme mettaient leur santé en danger en raison d'une carence possible en protéines. C'est possible mais improbable. Seules les personnes qui s'improvisent végétariennes sans encadrement pourraient faire face à ce problème. À ce jour, on a clairement identifié bon nombre de produits riches en protéines végétales. C'est le cas entre autres des produits laitiers, des œufs, des légumineuses, du tofu, des noix et des graines ainsi que des produits céréaliers.

Leurs limites

Les études les plus récentes démontrent qu'une diète végétarienne équilibrée entraîne une diminution du taux de cholestérol ainsi qu'un indice de masse corporelle (IMC) plus bas et plus facile à contrôler.

À moins de s'être familiarisé dès le jeune âge avec le végétarisme, cette approche alimentaire exigera un temps d'adaptation. On doit apprendre à cuisiner avec des aliments qui nous étaient peu familiers jusque-là et découvrir de nouvelles saveurs et textures. Le pas sera d'autant plus grand à franchir si vous optez pour le végétalisme, qui exclut les œufs et les produits laitiers.

Les végétariens doivent s'assurer, lorsqu'ils planifient leurs repas, que ceux-ci leur fourniront un apport suffisant en fer, en zinc et en oméga-3. Les végétaliens devront de leur côté trouver en plus des sources de vitamines D et B12.

Leur application

Les végétariens rencontreront peu de difficultés à suivre leur diète au resto. Par contre, les végétaliens, en dehors des restos spécialisés, n'auront très souvent accès qu'à des repas déséquilibrés.

En raison d'une variété plus limitée de produits alimentaires autorisés, le végétalisme pourrait s'avérer un choix plus difficile à conserver à long terme. Le risque d'abandon est conséquemment plus élevé.

> Je venais d'accoucher de Simone, mon second enfant. J'avais pris 87 livres pendant ma grossesse, et je n'ai jamais réellement retrouvé mon corps d'avant. Pendant mon congé de maternité, j'ai vu en entrevue l'actrice Gwyneth Paltrow, qui venait aussi d'accoucher de son deuxième bébé. Oprah l'avait reçue sur son plateau, en la félicitant parce qu'elle avait retrouvé sa taille rapidement.
>
> Et Gwyneth de répondre : « Merci beaucoup, mais vous devez savoir que je suis accompagnée tous les jours par un entraîneur privé et que pendant que je m'entraîne, j'ai l'aide d'une nounou à la maison et un chef prépare mes repas. On ne peut pas faire de comparaison avec ce que la majorité des femmes vivent ! » Bref, Gwyneth s'était bien gardée de se poser en exemple. Cette femme est certainement inspirante... surtout pour son bon sens !

Diète méditerranéenne

Son origine

La diète méditerranéenne, aussi appelée diète crétoise, est une approche alimentaire fort ancienne, comme le végétarisme. Et si l'on se reporte souvent à la Crète lorsqu'on l'évoque, il en existe néanmoins plusieurs variantes dans les autres pays qui bordent la Méditérranée. Toutes ont cependant un point en commun : une utilisation abondante de l'huile d'olive.

Cette diète, basée sur des habitudes alimentaires traditionnelles, a attiré l'attention, dans les années 1950, après la publication d'une étude qui démontrait que, malgré une consommation abondante de matières grasses, les gens de cette région du monde possédaient une espérance de vie nettement au-dessus de la moyenne et étaient peu affectés par les maladies cardiovasculaires.

Ses objectifs

En plus de favoriser le maintien ou la perte graduelle de poids, la diète méditerranéenne favorise une réduction des maladies cardiovasculaires, de la maladie d'Alzheimer et du diabète de type 2, met à l'abri ses adeptes de certains cancers et contribue à les maintenir en santé à long terme.

Son principe

La diète méditerranéenne préconise une approche globale basée sur des portions plus petites, une grande variété d'aliments et la pratique régulière d'activité physique. Elle suggère, selon les individus, une consommation de 1800 à 2500 calories maximum par jour.

Son type d'alimentation

À la base, la diète méditerranéenne n'utilise comme corps gras que l'huile d'olive. On y trouve aussi en abondance de l'ail, des épices et des aromates. Autrement, elle suggère de consommer beaucoup de poissons, des produits céréaliers, des fruits et des légumes, d'inclure dans ses habitudes alimentaires quotidiennes les légumineuses, du yogourt et du fromage. Sans les interdire, cette diète considère qu'il est souhaitable de manger modérément du poulet et des œufs et de limiter les aliments sucrés et la viande rouge.

Ses limites

Pour profiter pleinement des bienfaits de la diète méditerranéenne, on doit s'y conformer le plus possible. Remplacer certains de ses éléments pourrait atténuer les effets de cette diète. Dans les régions nordiques comme la nôtre, la diète méditerranéenne est susceptible de créer une carence en vitamine D.

Son application

Parce qu'elle est riche en antioxydants, cette diète permet de ralentir les effets du vieillissement. En fait, elle profite du fait qu'elle a beaucoup été étudiée et que plusieurs de ses effets allégués ont été confirmés. Autre avantage : la diète méditerranéenne peut être suivie par tous les membres de la famille sans restriction d'âge.

Guide alimentaire canadien

Son origine

Le premier Guide alimentaire, appelé *Règles alimentaires officielles au Canada*, fut publié en 1942. Le Canada, alors en guerre, a dû imposer des restrictions alimentaires, et cette publication avait pour but de conseiller les gens sur la façon de se nourrir afin d'éviter de possibles carences.

Son objectif

Aujourd'hui, le Guide alimentaire a toujours pour objectif de conseiller les Canadiens afin qu'ils puissent faire les choix alimentaires les plus judicieux et les plus diversifiés possible, pour rester en santé et se préserver des maladies les plus fréquentes en Occident.

Son principe

D'abord, le Guide ne proscrit aucun aliment. Il établit cependant un certain nombre de règles afin que nous puissions combler tous nos besoins en vitamines, minéraux et autres éléments nutritifs. En établissant à travers ses groupes alimentaires des proportions à consommer pour chacun d'eux, on espère aussi éviter une augmentation de l'obésité et diminuer les risques de maladies comme le diabète de type 2, les maladies du cœur, l'ostéoporose et même le développement de certains cancers.

Son type d'alimentation

Le Guide classe les produits alimentaires en quatre catégories : légumes et fruits, produits céréaliers, lait et substituts ainsi que viandes et substituts. Pour chacune des catégories, le Guide établit le nombre de portions quotidiennes souhaitables. On y trouve aussi des conseils divers sur les habitudes alimentaires que nous devrions adopter, mais aussi celles que nous devrions changer.

Ses limites

Chaque nouvelle version du Guide est élaborée à la suite d'une vaste consultation auprès des intervenants en santé et en nutrition mais aussi auprès des producteurs et des industriels de l'alimentation. Certains lui reprochent d'être la somme d'un vaste compromis et de ne pas aller assez loin au sujet de certaines recommandations.

Son application

Comme le Guide ne proscrit aucun aliment, vous pouvez facilement l'intégrer à vos habitudes alimentaires. Autre aspect non négligeable : on y trouve le nombre de portions à consommer ainsi que leur volume selon le groupe d'âge auquel on appartient.

Suivre une diète sans cuisiner!

Conscientes du peu de temps dont vous disposez pour préparer vos repas, des entreprises spécialisées dans la gestion de poids ont vite compris qu'il y avait là un marché intéressant : celui des repas préparés. Comme l'objectif est de vous aider à perdre du poids, la majorité des plats proposés, peu importe l'entreprise qui les offre, sont hypocaloriques.

Ce nouveau marché connaît un succès certain chez nos voisins du sud, et il y a fort à parier que l'offre se multipliera chez nous aussi. Le cas le plus récent au Québec est sans doute celui de Jenny Craig, dont Sonia Benezra est la porte-parole. Cette entreprise, propriété du groupe Nestlé, est une des plus importantes compagnies de gestion du poids au monde. Si elle propose diverses approches pour maigrir, la plus populaire et la plus médiatisée est celle où une conseillère vous aide, par téléphone, à choisir les plats concoctés par l'entreprise.

Aux dires de l'Association pour la santé publique du Québec, cette nouvelle approche et ce type de diète, se présentant sous forme de repas déjà mijotés, ne sont ni pires ni mieux que les autres et comportent les mêmes risques à long terme. S'y ajoute toutefois un coût nettement supérieur aux autres diètes qu'on trouve dans des livres ou que le médecin ou la nutritionniste nous fournit. Il faut en effet débourser plus de 600 $ par mois par personne pour les repas, auxquels s'additionnent les frais de livraison.

> J'aimerais vous rappeler qu'on ne suit pas un régime amaigrissant parce qu'on souhaite ressembler à sa porte-parole, qu'on trouve belle, dans le vent et à qui tout semble réussir. On choisit un régime parce qu'il nous convient. Et n'oubliez pas, nous sommes tous différents : ce qui marche pour les uns n'aura peut-être pas le même impact sur vous...

Chapitre

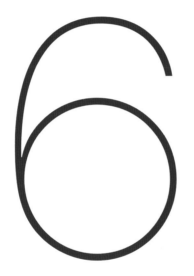

QUOI MANGER QUAND
ON FAIT DU SPORT ?

Vous avez décidé de modifier vos habitudes alimentaires et de consacrer un peu plus de temps à votre mise en forme : vous ne le regretterez pas ! Maintenant, voyons comment ajuster votre alimentation aux exigences énergétiques de vos nouvelles activités. Que pouvez-vous consommer avant, pendant et après l'effort afin de disposer, au moment voulu, de l'énergie nécessaire, et de bien récupérer après l'activité ?

Les bons objectifs

Si vous pratiquez une activité qui dure 60 minutes ou moins, votre alimentation, pour peu qu'elle soit équilibrée, vous fournira normalement toute l'énergie et les ressources métaboliques dont vous aurez besoin. Par contre, si vous optez pour des activités plus exigeantes, et de plus longue durée, vous devrez effectuer quelques ajustements de manière à trouver dans votre nourriture les ressources suffisantes pour que votre activité demeure un plaisir malgré l'effort requis.

Priorité aux glucides

Votre objectif de base est simple : vous constituer une réserve d'énergie (sans vous alourdir) et vous hydrater convenablement. Comme vos muscles seront sollicités, votre alimentation avant l'effort devra surtout être constituée de glucides. Ils constituent le principal carburant pour vos muscles. Évitez cependant de les puiser dans des aliments gras ou frits, qui ralentiront alors votre digestion et vous causeront de l'inconfort au moment où vous serez actif. (C'est pour ça que les joueurs de hockey consomment des plats de pâtes avant leurs matchs, et non pas des poutines…). L'alcool est aussi à proscrire.

Glucides rapides ou complexes ?

Vous trouverez les glucides rapides notamment dans les friandises, le chocolat sucré, le miel, le sirop d'érable et les boissons fruitées, ainsi que dans tous les produits alimentaires enrobés de sucre sous différentes formes. Ces sucres vous fourniront une source d'énergie immédiate mais de très courte durée. Évitez-les avant de pratiquer des activités physiques exigeant un effort constant, qui s'étale sur une période de plus de 30 minutes, parce qu'ils risquent de provoquer une instabilité de votre glucose sanguin.

Par contre, les glucides complexes, qu'on appelle aussi parfois « sucres lents », sont absorbés lentement par votre organisme et sont donc en mesure de vous fournir une énergie constante sur une longue période. Vous les trouverez entre autres dans les pâtes, les pains et les pitas de blé entier ou multigrains, dans le riz brun, les céréales à grains entiers, le couscous, les pois et les lentilles.

Et les protéines?

Même s'il importe de miser d'abord sur les glucides, votre alimentation doit néanmoins contenir un minimum de protéines. Avant de pratiquer des sports, il est mieux de choisir des protéines maigres.

Question de temps

L'autre aspect que vous devez considérer est le temps dont vous disposez pour manger avant de vous mettre en action. Règle générale :

- avec plus de temps, vous pourrez avaler
  un repas complet bien équilibré ;
- avec moins de temps, vous devrez vous contenter
  d'une collation riche en glucides.

Quoi *manger avant l'effort?*

Voici quelques suggestions de repas et d'aliments que vous devriez privilégier avant de commencer votre activité (de moyenne à haute intensité)… mais aussi les aliments qui sont à proscrire.

Trois à quatre heures avant

`Pour le déjeuner`

- Des œufs accompagnés de fromage cottage, des rôties de pain de blé entier ou multigrain et une salade de fruits.

`Pour le dîner`

- Du poulet (sans la peau) avec une portion de riz brun et une de haricots verts. Un verre de lait 1 % avec un fruit et une barre de céréales faible en gras.

- Des pâtes de grains entiers ou multigrains nappées d'une sauce moitié lentilles, moitié viande, une salade de légumes avec vinaigrette à base d'huile d'olive ou de canola, et pour dessert, une galette de céréales et un yogourt à 2 % M.G. (ou moins).

- Un bagel au thon avec une mayonnaise légère, des crudités diverses, un jus de légumes, un muffin santé, un pouding de soya et des noix.

- Un sandwich composé d'un pain pita de blé entier, de légumes, de végépâté et de fromage léger.

- Un filet de poisson accompagné de quinoa et de brocolis. Deux biscuits au son d'avoine, des noix et une boisson de soya.

À éviter

- Les fromages gras.
- Les charcuteries et les terrines (comme les cretons).
- Le bacon, les viandes cuites dans le gras, les viandes blanches et le poisson pané.
- Les croissants, les beignes et les pâtisseries.
- Le thé et le café (trop diurétiques).
- Les boissons gazeuses et, parce qu'elles sont riches en sucres rapides et en caféine, les boissons énergétiques commerciales.

Deux heures avant

Pour le déjeuner

- Des céréales avec du lait enrichi ou une boisson de soya. Un fruit.

Pour le dîner

- Une soupe maison avec des craquelins et du lait 1 %.
- Une petite portion de pâtes alimentaires nappée d'une sauce tomate ou végétarienne, accompagnée d'un morceau de fromage léger.
- Des craquelins au blé entier ou multigrains avec des morceaux de fromage allégé.
- Un yogourt à 2 % M.G. (ou moins) avec un fruit frais et un biscuit au son d'avoine.
- Des craquelins avec tartinade de tofu.
- Un yogourt à 2 % M.G. (ou moins) avec des céréales, sans lait, et un fruit.
- Une galette de grains entiers avec une boisson de soya à la vanille.
- Une barre de céréales riche en fibres alimentaires et un petit pouding de soya.

Quand j'allais au gym le ventre vide, je me sentais étourdie dès les premiers efforts. Évidemment ! Alors j'ai trouvé la formule gagnante pour me soutenir et me donner de l'énergie, sans me surcharger l'estomac : je prends un yogourt nature, dans lequel je mets un peu de stevia ou de sirop d'érable. J'ajoute quelques petits fruits (j'ai toujours des framboises ou des fraises au congélateur) et quelques noix, comme des amandes ou des pacanes. C'est tout simple !

À éviter

- Tous les éléments déjà déconseillés précédemment.

- Les barres tendres chocolatées, biscuits et gâteaux sucrés.

- Les pommes de terre, le riz à cuisson rapide, le maïs et les vermicelles de riz.

- Les céréales riches en fibres, les légumineuses et tous les légumes de la famille des crucifères (chou, brocoli).

Une heure avant

- Yogourt léger aux fruits.

- Boisson de soya.

- Lait chocolaté 1 %.

- Yogourt à boire.

30 minutes et moins avant

- 250 ml de boisson sportive.

- 250 ml de jus de légumes.

À éviter

- Tous les éléments déjà déconseillés précédemment.

Quoi manger pendant l'effort?

Ne consommez aucune nourriture pendant que vous pratiquez un sport ou une activité physique intense, sinon vous pourriez ressentir de l'inconfort (crampes, ballonnements, troubles de digestion).

Par contre, vous devez vous désaltérer en buvant de grandes quantités d'eau tout au cours de votre activité. Si votre effort dure moins d'une heure, buvez de 150 à 350 ml d'eau toutes les 15 à 20 minutes. Le fait de consommer des boissons sucrées à ce moment-là pourrait diminuer, voire annuler, votre propre dépense calorique. De plus, en consommant beaucoup d'eau, vous favorisez le fonctionnement optimal de vos reins et l'élimination des déchets, que votre métabolisme produit alors en plus grande quantité.

Par ailleurs, si votre activité exige un effort physique de moyenne à haute intensité, vous devriez opter pour une eau plus minéralisée. Elle vous aidera à compenser les minéraux que vous perdez pendant l'effort, notamment à travers la sudation. Il est très important que vous vous hydratiez, même quand vous n'avez pas l'impression d'avoir chaud (notamment pendant les sports aquatiques ou les sports d'hiver), parce que vous ne réalisez pas que vous transpirez.

Le seul fait de perdre 1 % de son poids en eau entraîne une perte d'efficacité musculaire de 10 %. Il importe donc que vous buviez beaucoup d'eau avant, pendant et après vos activités physiques.

Activité longue durée

Si l'effort que vous devez fournir s'étend sur plus d'une heure, remplacez l'eau à la fin de la première heure par une boisson énergétique. Cette dernière vous soutiendra et vous permettra même de prolonger un peu la durée de votre activité. Vous pouvez bien sûr consommer une de ces boissons sportives qu'on trouve dans le commerce, mais il est tout aussi facile vous en préparer une vous-même.

Boisson énergétique maison

Voici une bonne recette recommandée par les nutritionnistes :

- 175 ml (¾ tasse) de jus d'orange frais, non sucré
- 325 ml (1⅓ tasse) d'eau
- 20 ml (4 c. à thé) de sucre
- 1 pincée de sel (facultatif)

http://www.extenso.org/article/les-boissons-pour-sportifs-est-ce-pour-vous/

En vous hydratant convenablement, vous préviendrez l'apparition de plusieurs problèmes potentiels, comme les tendinites, les crampes, la fatigue excessive, l'hyperthermie, les troubles digestifs et une diminution sensible de vos performances.

Quoi manger après l'effort ?

À cette étape, vous devez aider votre organisme à récupérer à la suite des efforts qu'il a consentis. Et plus vite vous le ferez, mieux ce sera ! C'est en effet au cours des deux heures qui suivent la pratique de votre acticité physique que votre métabolisme se reconstruira le plus efficacement. Ne négligez pas cette phase de récupération, surtout si vous pratiquez votre sport ou votre activité plusieurs fois par semaine.

> *J'ai rarement faim après un effort physique : je bois tellement d'eau que j'en oublie de manger ! Sauf que ça m'a souvent joué des tours : en attendant trop longtemps pour le repas, j'arrivais devant mon assiette et je mangeais deux fois plus que ce que j'aurais dû… et ça se terminait invariablement par des crampes. Désormais, après ma routine d'entraînement, j'opte pour une collation de légumes et d'hoummos. Et surtout, je suis à l'écoute du sentiment de satiété.*

Idéalement, dans les 30 minutes suivant votre effort et avant de prendre un repas complet, assurez-vous de donner à votre métabolisme des glucides lents sous forme de fruits frais ou séchés, de légumes, de noix ou de fromages.

Un apport en protéines est aussi nécessaire parce que celles-ci favoriseront la réparation rapide de vos muscles et vos tendons des lésions légères qu'ils auraient pu subir pendant que vous les sollicitiez. Vous trouverez les protéines nécessaires en consommant du lait chocolaté, des boissons de soya, du fromage, des légumineuses, des noix et des graines. La consommation de viande rouge n'est pas exclue, mais celle de viande blanche et de poisson est préférable. Elle vous permettra de respecter plus aisément le rapport 4/1 de glucides/protéines idéal pour bien récupérer après l'effort. Une trop grande consommation de protéines à ce moment pourrait avoir un impact négatif sur la réhydratation de votre corps ainsi que sur son réapprovisionnement en glycogènes.

Enfin, continuez à vous hydrater en consommant beaucoup d'eau.

Voici un exemple de repas complet qui permettra à votre organisme de récupérer et de se régénérer après l'effort :

- 375 ml (1 ½ tasse) de pâtes cuites, de blé entier ou multigrains
- 250 ml (1 tasse) de sauce tomate aux lentilles ou à la viande maigre
- 30 g (1 oz) de fromage
- 250 ml (1 tasse) de brocoli cuit
- 375 ml (1 ½ tasse) de salade de légumes
- Vinaigrette à base d'huile d'olive, de jus de citron et de miel
- 175 ml (¾ tasse) de yogourt
- 1 carré aux dattes sans sucre ajouté

Les pièges à éviter

Les nutritionnistes voient souvent les mêmes comportements chez leurs clients qui ont commencé à faire de l'exercice, des pièges dans lequels il faut éviter de tomber :

1. Ces gens bien motivés surestiment le nombre de calories qu'ils perdent lors de leur activité physique, et ingèrent par la suite trop de nourriture pour « compenser » ;

2. Ils planifient leur séance d'exercices à l'heure du lunch ou après le travail, se permettant du coup de sauter soit le dîner ou le souper et compensant, encore une fois, par une plus grande quantité de nourriture lorsqu'ils prennent le temps de manger.

Vrai ou faux?

Quelques mythes et réalités quant à l'alimentation et aux efforts.

1. **Une dépense calorique importante exige une consommation accrue de sucre.**

   Faux.

   Les aliments qui contiennent des glucides fournissent à votre corps toute l'énergie nécessaire.

2. **Plus je suis actif, plus je dois manger de viande rouge.**

   Faux.

   La viande rouge vous fournira une source appréciable de fer, un minéral dont vous avez davantage besoin lorsque vous êtes très actif physiquement. Par contre, le seul fait d'augmenter sensiblement votre consommation de viande rouge n'augmentera pas votre masse musculaire ni n'améliorera vos performances.

3. **Le fait de pratiquer une activité physique intense exige un apport plus important en magnésium.**

   Vrai.

   Si vous faites régulièrement des activités physiques exigeantes, vous auriez avantage à consommer davantage d'aliments possédant une haute teneur en magnésium (comme les légumes verts, les céréales complètes, les fruits secs oléagineux) pour assurer une contraction musculaire maximale et métaboliser les glucides.

4. Je devrais intégrer des protéines en poudre à mon alimentation pour augmenter ma puissance musculaire.

Faux.

Une alimentation équilibrée et une activité physique régulière suffisent à développer et à entretenir vos muscles, même lorsque vous pratiquez des activités sportives intensives.

5. Les fruits secs sont une excellente collation.

Vrai.

En plus de pouvoir être transportés facilement et à toutes les températures, les fruits secs contiennent des sucres naturels faciles à assimiler et des minéraux essentiels, comme le potassium et le magnésium, utiles à votre activité musculaire.

Chapitre

7

LES RECETTES

Que c'est bon manger !

Manger est un des grands plaisirs de la vie. C'était donc une évidence qu'on intègre dans ce livre quelques recettes appétissantes. Des plats santé, savoureux et variés, qui vous donneront le goût de cuisiner au lieu d'acheter des mets préparés.

Ceci dit, que ces nouvelles recettes ne vous empêchent pas de concocter encore vos plats préférés ! Si vous raffolez des pâtes à la crème et aux lardons, ne vous en privez pas ; vous seriez malheureux. Il vaudrait juste mieux, comme le suggèrent les nutritionnistes, les cuisiner à la crème 15 % ou au lait entier, ou encore réduire votre portion habituelle.

D'ailleurs, nous avons délibérément omis d'inclure des tableaux de valeurs caloriques et nutritionnelles qui figurent généralement dans les livres de recettes santé : nos petits plats, ni trop salés ni trop riches, ont été élaborés pour ceux qui aiment manger, et non pour répondre à des conventions minceur. La seule valeur utile sur laquelle vous fier est le nombre de portions calculées pour chaque recette par la diététiste-nutritionniste Kim Arrey.

BON APPÉTIT !

Déjeuners

Portions : 8

Granola et yogourt

Ingrédients

250 ml (1 tasse) de **flocons d'avoine**

65 ml (¼ tasse) de **flocons d'épeautre**

45 ml (3 c. à soupe) d'**huile d'olive**

65 ml (¼ tasse) d'**amandes** hachées grossièrement

65 ml (¼ tasse) de **graines de tournesol**

65 ml (¼ tasse) de **sirop d'érable**

30 ml (2 c. à soupe) de **gingembre** râpé

5 ml (1 c. à thé) de **cannelle**

1 pot de **yogourt nature** de 750 ml

Préparation

Préchauffer le four à 150 °C (300 °F).

Mélanger tous les ingrédients sauf le yogourt. **Étendre** sur une plaque de cuisson recouverte de papier parchemin. **Faire cuire** 40 minutes en remuant de temps en temps.

Laisser refroidir à la sortie du four.

Remplir de yogourt des coupes ou des bols, puis **recouvrir** de granola.

Portions : 8 pots de 250 ml (1 tasse)

Marmelade ensoleillée

Ingrédients

2 **mangues** en dés

3 **oranges**

1 **pamplemousse**

2 **citrons**

½ **ananas** tranché en cubes

1,5 l (6 tasses) de **sucre d'érable**

Le zeste et le jus de 2 **limes**

Préparation

Prélever le zeste du citron, de la lime et des oranges. **Réserver**.

Retirer la peau blanche des agrumes et **éplucher** le pamplemousse. **Passer** rapidement leur chair au mélangeur afin d'obtenir une préparation contenant des morceaux.

Réunir tous les ingrédients et **cuire** à feu doux dans une casserole, de 45 minutes à 1 heure.

Stériliser les pots Mason comme à l'habitude et **procéder** à la mise en conserve.

Portions : 4

Roulés au saumon fumé

Ingrédients

4 **crêpes** fines

4 tranches de
saumon fumé

10 ml (2 c. à thé) de
sirop d'érable

45 ml (3 c. à soupe) de
fromage à la crème

20 ml (4 c. à thé)
de **câpres**

20 ml (4 c. à thé)
d'**oignon rouge** haché

10 ml (2 c. à thé)
d'**aneth** haché
grossièrement

Préparation

Préchauffer le four à 150 °C (300 °F).

Au mélangeur, **fouetter** le fromage à la crème
de 5 à 8 minutes, jusqu'à ce qu'il soit léger et
onctueux. **Ajouter** le sirop d'érable et l'aneth.
Mélanger 30 secondes.

Tartiner les crêpes de ce mélange. Sur une
des extrémités de la crêpe, **ajouter** le saumon
fumé, les câpres et l'oignon. **Rouler** les crêpes
et **servir**.

Note : *Vous pouvez faire de petites bouchées à partir de
cette recette. Il suffit simplement de couper les crêpes en
petites rondelles.*

Portions : 8

Ceviche de pétoncles à l'huile de truffe et à la lime

Ingrédients

4 **pétoncles** coupés en 4 tranches chacun

15 ml (1 c. à soupe) de **sucre**

15 ml (1 c. à soupe) de **sel**

Le jus de 1 **lime**

30 ml (2 c. à soupe) d'**huile de truffe**

Quelques gouttes de **Tabasco** au goût

Préparation

Dans un bol en plastique, **saupoudrer** les tranches de pétoncles de sucre et de sel.

Ajouter le jus de lime.

Laisser reposer 15 minutes.

Rincer les pétoncles ou non, au goût.

Ajouter un filet d'huile de truffe et un peu de Tabasco.

Portions : 8

Tartare de thon à la mangue

Ingrédients

300 à 350 g
(10 à 12 oz) de **thon
Bluefin** frais, coupé
en petits dés

½ **mangue** coupée en
petits dés

½ **échalote** coupée
en tranches fines

5 ml (1 c. à thé) de
câpres hachées

Sel et **poivre** au goût

5 ml (1 c. à thé)
d'**huile d'olive**

5 ml (1 c. à thé) de
jus de citron

½ **tomate** coupée
en dés

Préparation

Dans un bol, **mélanger** tous les ingrédients.

Servir bien froid sur un craquelin ou dans
une cuillère.

Note : *Vous devez utiliser du poisson très frais et de
qualité. À l'achat, précisez que vous le mangerez cru et
qu'il est capital qu'il soit d'une fraîcheur optimale.*

Portions : 2

Salade d'asperges à l'huile de noix et aux amandes

Ingrédients

250 ml (1 tasse) d'**asperges** cuites, coupées en tronçons d'environ 3 à 5 mm (⅛ à ¼ po)

15 ml (1 c. à soupe) d'**amandes** grillées, émincées ou en bâtonnets

15 ml (1 c. à soupe) d'**huile de noix**

50 g (1,5 oz) de **fromage de chèvre** émietté

Sel et **poivre** au goût

Préparation

Dans un bol, **mélanger** tous les ingrédients sauf le fromage.

Servir la salade dans des cuillères de présentation et **déposer** un peu de fromage de chèvre sur chacune.

Entrées

Portions : 375 ml (1 ½ tasse)

Hoummos de fèves à la coriandre

Ingrédients

375 ml (1 ½ tasse)
de **fèves** pelées,
surgelées

1 petite gousse d'**ail**

3 branches de
coriandre

30 à 45 ml (2 à 3 c.
à soupe) de **jus de
citron**

45 ml (3 c. à soupe)
d'**huile d'olive**

Sel et **poivre**

Préparation

Faire bouillir de l'eau dans une grande
casserole. Y **plonger** les fèves et **cuire**
3 minutes.

Égoutter les fèves et les **passer** sous l'eau
froide. Une fois qu'elles sont refroidies, les
mettre dans un bol avec l'ail haché, les
feuilles de coriandre, l'huile et le jus de citron.
Mélanger jusqu'à l'obtention d'une texture
crémeuse (**ajouter** un peu d'huile ou de l'eau si
la préparation est trop compacte).

Assaisonner et **déguster** avec des craquelins,
du pain grillé coupé en longueur ou des gressins.

Suggestion : Il est préférable de ne pas préparer
cette recette trop à l'avance pour en conserver toutes
les saveurs.

Entrées

Portions : 40 bouchées

Pitas de blé aux crevettes et à l'orange

Ingrédients

125 ml (½ tasse) de **yogourt nature** épais 2 % M.G. ou moins

Le zeste de 1 **lime**

100 g (3,5 oz) de **crevettes** nordiques cuites

2 **oranges** défaites en suprêmes

20 petits **pains pitas** de blé coupés en deux

40 morceaux de **laitue romaine** de la grandeur des pochettes de pita

Pousses d'asperge ou de **maïs** pour décorer

Sel et **poivre** au goût

Préparation

Dans un bol, **mélanger** le yogourt, le zeste, les crevettes, les oranges, du sel et du poivre.

Dans chaque pochette de pita, **déposer** la laitue romaine en laissant **dépasser** les feuilles.

Garnir du mélange de crevettes.

Ajouter les pousses d'asperge en laissant **dépasser** les tiges pour la décoration.

Astuce : Vous pouvez remplacer les pousses d'asperge ou de maïs par des germes de luzerne. Les pousses se trouvent généralement à côté de la luzerne dans la plupart des supermarchés. En un coup d'œil, vous pourrez choisir facilement.

Entrées

Portions : 24

Avocats, tomates et chèvre

Ingrédients

3 **avocats**

Le jus de 1 **citron**

6 **tomates cerises** coupées en 4 tranches chacune

1 petite bûche de **fromage de chèvre**

Sel et **poivre** au goût

Préparation

Couper les avocats en 8 tranches chacun.

Badigeonner les tranches d'avocat de jus de citron.

Saler et **poivrer** au goût les tranches de tomate et d'avocat.

Couper le fromage de chèvre en tranches de 1 cm (½ po) d'épaisseur.

Déposer une tranche de fromage de chèvre sur chaque tranche d'avocat puis **couvrir** d'une tranche de tomate.

Fixer le tout à l'aide d'un cure-dent de couleur.

Portions : 4-6

Potage de courge poivrée et de patate douce

Ingrédients

Une noix de **beurre**

500 g (17,5 oz) de **patate douce** coupée en dés (environ 1 patate douce)

500 g (17,5 oz) de **courge poivrée** coupée en dés (environ ¼ de courge)

250 g (9 oz) d'**oignons jaunes** coupés en dés (environ 2 oignons)

Sel et **poivre** au goût

Muscade au goût (facultatif)

500 ml (2 tasses) de **bouillon de poulet** ou de légumes (environ)

65 ml (¼ tasse) de **cheddar** râpé

Préparation

Dans une casserole, **cuire** à feu doux dans le beurre la patate douce, la courge, les oignons, le sel, le poivre et la muscade, si désiré, pendant environ 5 minutes.

Couvrir les légumes de bouillon de poulet.

Laisser frémir pendant 20 minutes.

Passer la soupe au mélangeur jusqu'à ce qu'elle soit lisse.

Verser dans des petits bols ou dans de longs verres. On peut aussi utiliser des coupes à vin en s'assurant de les **réchauffer** avec de l'eau chaude d'abord.

Décorer d'une pincée de fromage râpé au centre du potage.

Portions : 4

Feuilletés de bison aux oignons

Ingrédients

½ paquet de **pâte feuilletée** (la moitié d'un paquet de 411 g [14 oz])

1 **œuf** battu légèrement

500 g (17,5 oz) de **bison haché** (environ)

5 ml (1 c. à thé) de **pâte de tomate**

125 ml (½ tasse) d'**oignon haché**

1 branche de **thym**

1 **feuille de laurier**

125 ml (½ tasse) de **bouillon de bœuf**

45 ml (3 c. à soupe) de **crème**

Sel et **poivre** au goût

Préparation

Préchauffer le four selon les indications du fabricant.

Sur une surface farinée, **abaisser** la pâte jusqu'à 3 mm (⅛ po) d'épaisseur.

Badigeonner la pâte feuilletée avec l'œuf.

À l'aide d'un emporte-pièce, **découper** des formes dans la pâte (cercles, triangles, carrés).

Cuire selon les indications du fabricant.

Dans un poêlon, **cuire** le bison haché à feu moyen-vif en brassant, pendant 8 minutes, ou jusqu'à ce qu'il ait perdu sa teinte rosée. **Retirer** le surplus de gras. **Ajouter** la pâte de tomate, l'oignon, la crème, le thym, le laurier, du sel et du poivre et **cuire** pendant 10 minutes.

Déglacer au bouillon de bœuf et cuire à feu élevé jusqu'à ce qu'il ne reste presque plus de bouillon.

Couper les feuilletés en 2 et les **farcir** de la préparation au bison.

Servir chaud avec un cure-dent ou dans une cuillère.

——————— Portions : 12 ———————

Coupes de chili con carne au cumin

Ingrédients

Huile

200 g (7 oz) de **bœuf haché**

1 petit **oignon jaune**, émincé

1 boîte de **haricots rouges** (540 ml)

250 ml (1 tasse) de **sauce tomate**

5 ml (1 c. à thé) de **cumin**

1 **poivron rouge** coupé en lanières

1 petit **oignon jaune**, haché

1 branche de **céleri** coupée en dés

Sel et **poivre** au goût

3 **tortillas**

Coriandre fraîche (facultatif)

Préparation

Préchauffer le four à 180 °C (350 °F).

Dans une casserole, **faire chauffer** l'huile, **ajouter** la viande, l'oignon, du sel et du poivre et **cuire** à feu moyen pendant environ 10 minutes, ou jusqu'à ce que la viande perde sa teinte rosée à l'intérieur.

Pendant ce temps, **rincer** les haricots plusieurs fois jusqu'à ce que l'eau soit claire.

Ajouter la sauce tomate, le cumin et les haricots dans la casserole.

Cuire pendant 15 minutes environ, à feu doux à découvert.

Dans un poêlon, **cuire** le poivron et les dés de céleri en brassant pendant 5 minutes à feu moyen, puis **ajouter** au mélange de haricots.

Couper les tortillas en 4 et les **déposer** dans des moules à muffins pour créer des coupes.

Cuire au four pendant 5 minutes environ, ou jusqu'à ce que les coupes soient légèrement dorées.

Répartir le chili dans les coupes. **Servir** immédiatement. **Garnir** de coriandre fraîche au moment de servir.

Entrées

Portions : 375 ml (1 ½ tasse)

Trempette crémeuse à l'aubergine

Ingrédients

1 grosse **aubergine**

30 ml (2 c. à soupe) d'**huile d'olive**

1 **oignon** émincé

2 gousses d'**ail** hachées finement

½ bouquet de **persil**

75 ml (5 c. à soupe) de **crème sure** à faible teneur en gras

Quelques gouttes de **Tabasco**

Sel et **poivre** au goût

Préparation

Préchauffer le four à 150 °C (300 °F).

Mettre l'aubergine sur une plaque de cuisson tapissée de papier parchemin et la **faire griller** 20 à 30 minutes en la retournant.

La **retirer** du four quand elle est molle et la **laisser refroidir**.

Dans une poêle, **chauffer** l'huile et y **faire** revenir l'oignon et l'ail.

Retirer la peau de l'aubergine et en **écraser** la chair à la fourchette.

Ajouter l'oignon et l'ail, le persil haché et la crème sure.

Saler, **poivrer** et **assaisonner** de Tabasco, au goût.

Suggestion : Servir tiède.

Soupes et potages

Potage à la betterave

Ingrédients

15 ml (1 c. à soupe) de **beurre**

15 ml (1 c. à soupe) d'**huile de canola**

2 **oignons** hachés

2 gousses d'**ail**, hachées ou pressées

15 ml (1 c. à soupe) de **gingembre** râpé ou haché finement

9-10 **betteraves**, pelées et coupées grossièrement

1 **pomme de terre**, pelée et coupée grossièrement

1 ¼ l (5 tasses) de **bouillon de poulet** ou de légumes

65 ml (¼ tasse) de **yogourt nature** de type méditerranéen 2 % M.G. ou moins ou de **crème sure** à faible teneur en gras

30 ml (2 c. à soupe) de **ciboulette** ciselée

Sel et **poivre**

Préparation

Dans une casserole, **chauffer** le beurre et l'huile à feu moyen. **Faire revenir** les oignons et l'ail quelques minutes, jusqu'à ce qu'ils soient ramollis. **Ajouter** le gingembre et **cuire** 1 minute en remuant.

Ajouter les betteraves et la pomme de terre. **Verser** le bouillon de poulet et **amener** à ébullition. **Couvrir** et **laisser mijoter** 1 heure.

Laisser tiédir. **Passer** la soupe au robot mélangeur pour la **réduire** en purée. **Assaisonner**. **Servir** la soupe chaude ou à température ambiante. **Garnir** les bols de yogourt, de crème sure ou de crème 15 % et de ciboulette ciselée.

Soupes et potages

Portions : 6

Soupe de lentilles au cari

Ingrédients

30 ml (2 c. à soupe) d'**huile d'olive**

4 **carottes** de grosseur moyenne

2 grosses branches de **céleri**

2 **oignons**

1 **pomme verte**

15 ml (1 c. à soupe) de **gingembre** frais, râpé

1 grosse gousse d'**ail**

10 ml (2 c. à thé) de poudre de **cari**

4 ml (¾ c. à thé) de **cumin**

4 ml (¾ c. à thé) de **coriandre** en poudre

925 ml (3 ¾ tasses) de **bouillon de poulet**

500 ml (2 tasses) de **lentilles vertes** sèches

1 ¼ l (5 tasses) d'**eau**

65 ml (¼ tasse) de **coriandre** fraîche, hachée

60 à 75 ml (4 à 5 c. à soupe) de **yogourt nature** 2 % M.G. ou moins

Sel au goût

Préparation

Faire tremper les lentilles toute une nuit.

Dans un gros chaudron, **faire chauffer** l'huile à feu moyen. **Faire sauter** les carottes, le céleri, les oignons et la pomme, préalablement coupés en dés. **Laisser brunir** de 10 à 15 minutes.

Ajouter le gingembre, l'ail, le cari, le cumin et la coriandre en poudre. **Faire cuire** pendant 1 minute. **Rincer** les lentilles pendant ce temps.

Ajouter le bouillon, l'eau et les lentilles rincées. **Porter** à ébullition à feu élevé, puis **baisser** l'intensité du feu. **Couvrir** et **laisser mijoter** environ 45 minutes, jusqu'à ce que les lentilles soient tendres.

Ajouter le sel et la coriandre fraîche. **Servir** avec un nuage de yogourt nature.

Soupes et potages

Velouté de carottes parfumé à l'orange, au gingembre et à la coriandre

Ingrédients

2 l (8 tasses) de **carottes** coupées en rondelles

2 **pommes de terre** moyennes coupées en cubes (plus gros que les carottes)

Le jus de 2 **oranges**

Le zeste de 1 **orange** (idéalement biologique ou très bien lavée)

2 **oignons** émincés

2 gousses d'**ail** hachées ou pressées

15 ml (1 c. à soupe) de **gingembre** haché ou râpé

60 ml (4 c. à soupe) d'**huile d'olive**

5 ml (1 c. à thé) de **cumin** moulu

500 ml (2 tasses) de **bouillon de poulet**

175 ml (¾ tasse) de **lait de coco** à faible teneur en gras

1 bouquet de **coriandre** ciselée

Sel et **poivre**

Préparation

Dans une casserole à fond épais ou une cocotte en fonte, **faire chauffer** l'huile d'olive et **faire revenir** à feu doux les oignons, l'ail, le gingembre et le cumin pendant 5 minutes.

Ajouter les carottes, les pommes de terre et le zeste d'orange, et **faire** légèrement **dorer** 1 minute en mélangeant.

Ajouter le jus d'orange et le bouillon de poulet. **Porter** à ébullition.

Couvrir et **laisser mijoter** à feu moyen pendant 40 minutes environ, jusqu'à ce que les carottes soient cuites.

Passer au robot culinaire jusqu'à l'obtention d'une consistance lisse. **Assaisonner**.

Ajouter le lait de coco. Au besoin, **rectifier** l'assaisonnement. **Réchauffer** à feu doux.

Au moment de servir, **parsemer** les bols de coriandre ciselée.

Variante : Le lait de coco peut être remplacé par du yogourt, de la crème sure ou de la crème.

Soupes et potages

— *Portions : 6 à 8* —

Velouté glacé de petits pois à la menthe

Ingrédients

2 kg (environ 70 oz) de **petits pois** frais

30 ml (2 c. à soupe) d'**huile d'olive**

2 petits **oignons** ou 2 **échalotes** grises coupés en fines tranches

5 ml (1 c. à thé) de **sucre**

500 ml (2 tasses) de **bouillon de poulet** ou de légumes

1 bouquet de **menthe**, séparé en deux

200 ml (un peu plus de ¾ tasse) de **crème 15 %** M.G. (ou de **yogourt nature** 2 % M.G. ou moins)

Sel et **poivre**

Préparation

Écosser les petits pois. **Faire revenir** les oignons dans l'huile chaude quelques minutes, jusqu'à ce qu'ils ramollissent.

Porter le bouillon à ébullition dans une casserole. **Ajouter** les oignons, les petits pois, le sucre, une pincée de sel et la moitié de la menthe en feuilles. **Faire cuire** 10 minutes à découvert.

Égoutter au-dessus d'un contenant pour conserver le bouillon de cuisson. **Enlever** les feuilles de menthe.

Mélanger dans un robot culinaire en incorporant le bouillon peu à peu, jusqu'à l'obtention de la consistance désirée.

Verser la crème et **mélanger**. **Assaisonner**. **Réfrigérer**.

Au moment de servir, **décorer** du reste de la menthe (ciselée ou en feuilles).

Plats principaux

Bœuf braisé aux baies de genièvre et à la gelée de gadelles

Ingrédients

30 ml (2 c. à soupe) d'**huile**

1 kg (35 oz) de cubes de **bœuf** de 2,5 cm (1 po)

1 **oignon** émincé

2 gousses d'**ail** hachées

Sel et **poivre**

80 ml (⅓ tasse) de **vin rouge**

65 ml (¼ tasse) de **farine**

1,5 l (6 tasses) de **bouillon de bœuf**

25 **baies de genièvre** écrasées grossièrement

65 ml (¼ tasse) de **gelée de gadelles**

Quelques **feuilles de sauge** fraîche

Préparation

Dans une grande poêle, **chauffer** l'huile à feu vif et **saisir** la viande pour la dorer. **Ajouter** l'oignon et l'ail. **Assaisonner**.

Déglacer avec le vin, puis laisser **réduire** de moitié.

Transférer le contenu de la poêle dans une cocotte en fonte. **Ajouter** la farine et **mélanger**.

Ajouter le bouillon de bœuf et les baies de genièvre. **Porter** à ébullition.

Réduire le feu à moyen-doux et **laisser mijoter** 2 heures presque complètement à couvert.

Quand la cuisson est terminée, **ajouter** la gelée de gadelles et les feuilles de sauge. Bien **mélanger**. **Servir** le bœuf braisé accompagné de pommes de terre, de carottes ou de brocoli.

Plats principaux

Portions : 4

Braisé de bison à la bière noire

Ingrédients

45 ml (3 c. à soupe) d'**huile d'olive**

375 g (13 oz) de cubes de **bison** d'environ 25 g (1 oz) chacun

1 branche de **céleri** coupée en gros cubes

½ **oignon** jaune coupé en cubes

1 **carotte** coupée en cubes

15 ml (1 c. à soupe) de **farine**

15 ml (1 c. à soupe) de **moutarde de Dijon**

65 ml (¼ tasse) de **bière** stout

65 ml (¼ tasse) de **bouillon de bœuf**

15 ml (1 c. à soupe) de **sirop d'érable**

Sel et **poivre de Cayenne** au goût

Préparation

Préchauffer le four à 150 °C (300 °F).

Faire chauffer l'huile dans une casserole. **Ajouter** les cubes de bison, du sel et du poivre de Cayenne. **Cuire** à feu élevé, jusqu'à ce que la viande soit dorée.

Ajouter les légumes et poursuivre la cuisson pendant 5 minutes.

Ajouter la farine et cuire encore 2 minutes en remuant.

Ajouter la moutarde de Dijon. **Mélanger**.

Déglacer avec la bière, le bouillon de bœuf et le sirop d'érable.

Couvrir et **cuire** au four pendant au moins 45 minutes, jusqu'à ce que les cubes de bison soient très tendres.

Plats principaux

Portions : 4

Brochettes de crevettes, citron et érable

Ingrédients

12 grosses **crevettes** tigrées

Le jus et le zeste d'un **citron**

30 ml (2 c. à soupe) de **sirop d'érable**

30 ml (2 c. à soupe) d'**huile d'olive**

Une pincée de **gingembre** frais, râpé

1 gousse d'**ail** hachée

30 ml (2 c. à soupe) d'**huile de sésame**

1 branche de **romarin**

Sel et **poivre**

Préparation

Mélanger tous les ingrédients dans un sac refermable. **Laisser reposer** 2 heures.

Enfiler les crevettes sur des brochettes.

Chauffer une poêle à griller à feu élevé.

Cuire les brochettes 3 minutes de chaque côté.

Servir avec de la ratatouille, du risotto ou du couscous.

Plats principaux

Portions : 4

Carrés d'agneau en croûte d'olives

Ingrédients

2 carrés d'**agneau** d'environ 700 g (25 oz) chacun

60 ml (4 c. à soupe) de **sirop d'érable**

Un filet d'**huile d'olive**

5 ml (1 c. à thé) de **pesto** maison ou du commerce

30 ml (2 c. à soupe) de **moutarde de Dijon**

5 ml (1 c. à thé) de **thym** frais

60 ml (4 c. à soupe) d'**olives Kalamata** hachées grossièrement

30 ml (2 c. à soupe) de **chapelure**

Sel et **poivre**

Préparation

Préchauffer le four à 180 °C (350 °F).

Dans une poêle légèrement huilée, **colorer** les carrés d'agneau à feu élevé, 2 minutes de chaque côté. **Déposer** les carrés dans un plat recouvert de papier parchemin et les **arroser** de sirop d'érable. **Saler** et **poivrer**.

Mélanger la moutarde avec les olives, le thym, le pesto et la chapelure. **Ajouter** un filet d'huile d'olive.

Presser le mélange sur les carrés du côté de la peau afin de **former** une croûte.

Cuire au four jusqu'à ce qu'un thermomètre inséré au centre de la viande indique 60 °C (140 °F), soit 20 à 25 minutes, ou plus longtemps pour une viande bien cuite.

Servir avec des légumes sautés et des pommes de terre.

Plats principaux

Portions : 4 à 6

Courgettes farcies à la viande

Ingrédients

1,8 kg (64 oz) de **courgettes** moyennes à grosses

15 ml (1 c. à soupe) d'**huile d'olive**

1 **oignon** coupé finement

500 g (17,5 oz) de **viande hachée** (bœuf, veau, cheval)

125 ml (½ tasse) de **riz** cru

45 ml (3 c. à soupe) de **persil** haché

15 ml (1 c. à soupe) de **sel**

3 ml (½ c. à thé) de **poivre**

375 ml (1 ½ tasse) de **jus de tomate**

250 ml (1 tasse) d'**eau**

Préparation

Préchauffer le four à 180 °C (350 °F).

Laver les courgettes, **couper** leurs tiges et les **couper** en deux sur le sens de la longueur. Avec une cuillère, les **racler** pour les **évider** en prenant soin de **laisser** une certaine épaisseur de chair.

Dans une poêle, **faire revenir** l'oignon dans l'huile chaude. **Ajouter** la viande hachée, **mélanger** et **cuire** jusqu'à ce que la viande soit cuite.

Dans un bol, **mélanger** la viande hachée, le riz, le persil, le sel et le poivre. **Disposer** les courgettes côte à côte dans un plat à gratin. **Remplir** les courgettes du mélange.

Dans une casserole, **verser** le jus de tomate et l'eau. **Porter** à ébullition.

Verser le liquide sur les courgettes, **couvrir** avec du papier d'aluminium et **enfourner**. **Cuire** 40 minutes. **Découvrir** et **faire cuire** de 40 à 50 minutes de plus, jusqu'à ce que le tout soit bien doré.

Servir chaud. Pour la décoration, **saupoudrer** un peu de persil sur chaque courgette.

Plats principaux

— Portions : 2 —

Cuisses de canard, poireau confit et chutney de fruits

Ingrédients

2 **cuisses de canard** confites

125 ml (½ tasse) de **canneberges** surgelées

125 ml (½ tasse) de **bleuets** surgelés

125 ml (½ tasse) d'**oignon**, taillé en petits dés

1 **pomme verte**, taillée en dés

125 ml (½ tasse) de **jus d'orange**

125 ml (½ tasse) de **vinaigre de cidre**

2-4 **poireaux** émincés (environ 750 ml [3 tasses])

65 ml (¼ tasse) de **beurre**

Sel et **poivre**

Préparation

Pour faire le chutney, **verser** les canneberges, les bleuets, l'oignon, la pomme verte, le jus d'orange et le vinaigre de cidre dans une petite casserole et **faire mijoter** à feu doux 40 minutes, ou jusqu'à l'évaporation du liquide. **Réserver** le tout.

Pour le confit de poireau, **préchauffer** une petite casserole à feu doux et **faire fondre** le beurre doucement. **Ajouter** le poireau. **Saler** et **poivrer**, et **cuire** lentement le poireau à découvert, jusqu'à ce qu'il soit transparent. **Réserver**.

Réchauffer les cuisses en faisant **tremper** leur emballage sous vide dans une casserole d'eau frémissante. Vous pouvez aussi les **poêler** à feu doux. Cette méthode aura pour avantage de **rendre** la peau croustillante. **Réserver** au chaud.

Servir les cuisses de canard sur le confit de poireau et **accompagner** du chutney, que vous pouvez **servir** chaud, tiède ou froid.

Note : *Ce chutney accompagne à merveille les plats gras comme le confit, le foie gras, la saucisse, etc. Utilisez-le comme sauce pour vos viandes sauvages ou pour rehausser les saveurs de vos brochettes ! Il peut se conserver jusqu'à six mois au réfrigérateur et un an au congélateur.*

Plats principaux

Portions : 4

Darnes de saumon à l'érable

Ingrédients

1 petit **oignon** coupé en fines lamelles

30 ml (2 c. à soupe) de **beurre**

125 ml (½ tasse) de **sirop d'érable**

125 ml (½ tasse) d'**eau**

4 **darnes de saumon** frais de 150 à 200 g (5-7 oz) chacune

Sel et **poivre**

Préparation

Dans un grand poêlon, **faire revenir** l'oignon dans le beurre à feu moyen-vif, jusqu'à ce que l'oignon soit légèrement doré.

Ajouter le sirop d'érable et l'eau. **Porter** à ébullition, puis **réduire** le feu à faible intensité. **Déposer** les darnes de saumon dans le poêlon et **poursuivre** la cuisson 6 minutes. **Retourner** à mi-cuisson. **Réserver** les darnes au chaud, hors du poêlon.

Faire réduire le liquide restant quelques minutes à feu vif, jusqu'à l'obtention d'une laque. **Saler** et **poivrer** au goût. **Couvrir** les darnes de laque et **servir**.

Note : *Vous pouvez accompagner ce plat de céleri-rave.*

Plats principaux

Portions : 2

Filet de doré avec sa salsa de fruits et son zeste de lime

Ingrédients

1-2 **filets de doré**, selon leur grosseur

1 **tomate** coupée en dés

1 petite **mangue** coupée en dés

1 **concombre libanais** coupé en dés

Le zeste et le jus de 2 **limes**

3 **fraises** coupées en dés

5-6 **framboises** coupées en deux

1 **échalote** hachée

30 ml (2 c. à soupe) de **ciboulette** ciselée

30 ml (2 c. à soupe) d'**huile d'olive**

Un peu de **beurre**

Sel et **poivre**

Préparation

Mélanger la tomate, la mangue, le concombre, le zeste et le jus de lime, les fraises, les framboises, l'échalote, la ciboulette et l'huile d'olive ensemble. **Saler** et **poivrer**, puis **réserver** au frais.

Faire fondre un peu de beurre dans une poêle préchauffée à feu moyen.

Saler et **poivrer** les filets de doré, puis **cuire** dans le beurre environ 5 minutes de chaque côté. Le temps de cuisson peut varier selon l'épaisseur des filets, mais le poisson est prêt lorsqu'il devient opaque.

Servir le doré avec la salsa de fruits ainsi qu'une salade de laitues et de légumes du moment ou un riz pilaf avec des légumes sautés.

Plats principaux

Portions : 6

Poulet à la créole

Ingrédients

1 **poulet** entier défait en morceaux

1 gros **oignon**

2 gousses d'**ail**

2 **tomates**

1 boîte de **crème de coco** à faible teneur en gras

250 ml (1 tasse) de **bouillon de poulet**

250 ml (1 tasse) de **vin blanc**

5 ml (1 c. à thé) de **cari**

5 ml (1 c. à thé) de **paprika**

5 ml (1 c. à thé) de **safran**

Un peu d'**huile d'olive** pour la cuisson

Sel et **poivre**

Préparation

Blanchir les tomates et en **retirer** la peau. Les **épépiner** et les **couper** en gros morceaux. **Réserver**.

Hacher les oignons grossièrement et **presser** les gousses d'ail. **Réserver**.

Dans une grande casserole, **faire chauffer** l'huile à feu vif et **faire revenir** les morceaux de poulet, avec du sel et du poivre, jusqu'à ce qu'ils soient dorés (environ 5 minutes).

Baisser un peu le feu et **ajouter** les tomates, l'oignon et l'ail. Bien **mélanger**.

Ajouter le cari, le paprika et le safran de même que le vin blanc et le bouillon de poulet. **Cuire** environ 25 minutes ou jusqu'à ce que la chair du poulet se détache facilement des os.

Ajouter la crème de coco et **poursuivre** la cuisson quelques minutes. **Rectifier** l'assaisonnement au besoin. **Servir** sur un lit de riz.

Plats principaux

Lasagne aux légumes, sauce fromage et basilic

Ingrédients pour la lasagne

1 **aubergine** en rondelles

Gros sel

45 ml (3 c. à soupe) d'**huile d'olive**

2 gousses d'**ail** hachées

1 **oignon rouge** émincé

1 **poivron vert** coupé en petits dés

1 **poivron rouge** coupé en petits dés

1 **poivron jaune** coupé en petits dés

2 **courgettes** coupées en petits dés

2 branches de **céleri** coupées en petits dés

2 grosses **tomates** coupées en petits dés

410 ml (1 ⅔ tasse) de **sauce tomate**

65 ml (¼ tasse) de **basilic** haché

12 **lasagnes** (aux épinards ou au blé entier)

Sel et poivre

125 ml (½ tasse) de **fromage** râpé 15 % M.G. ou moins (mozzarella, fromage suisse ou cheddar)

Ingrédients pour la sauce fromage et basilic

45 ml (3 c. à soupe) de **beurre**

30 ml (2 c. à soupe) de **farine**

140 ml (½ tasse et 1 c. à soupe) de **bouillon de légumes**

315 ml (1 ¼ tasse) de **lait**

65 ml (¼ tasse) de **fromage** râpé 15 % M.G. ou moins (mozzarella, fromage suisse ou cheddar)

45 ml (3 c. à soupe) de **basilic** haché

1 **œuf** battu

Sel et **poivre**

Lasagne aux légumes, sauce fromage et basilic

Préparation

Préchauffer le four à 180 °C (350 °F).

Dégorger 20 minutes les rondelles d'aubergines généreusement saupoudrées de gros sel.

Dans une grande poêle ou une casserole, **chauffer** l'huile et **faire revenir** l'ail et l'oignon.

Ajouter les poivrons, les courgettes et le céleri. **Laisser cuire** 10 minutes à feu doux.

Ajouter les tomates, la sauce tomate et le basilic. **Laisser mijoter** 5 minutes encore. **Assaisonner**.

Dans une autre casserole, **préparer** la sauce fromage et basilic en faisant **fondre** le beurre. **Ajouter** la farine et **mélanger**. Dès que le mélange mousse, **verser** le lait et le bouillon. **Chauffer** 1 à 2 minutes. **Incorporer** le fromage et **porter** à ébullition tout en remuant sans arrêt. Quand la sauce est de consistance épaisse, **ajouter** le basilic et **assaisonner**. **Retirer** du feu. **Incorporer** l'œuf battu et bien **mélanger**.

Rincer les rondelles d'aubergines sous l'eau froide pour les **dessaler**. **Laisser** égoutter les aubergines puis les **éponger**.

Dans un plat à gratin de 30 cm x 20 cm (12 po x 8 po), **étendre** une petite quantité de sauce aux légumes et **déposer** une couche de lasagnes. Y **verser** moitié du mélange de légumes. **Recouvrir** d'un tiers de la sauce au fromage. **Déposer** la moitié des rondelles d'aubergines, l'une à côté de l'autre, pour **créer** une couche.

Répéter le tout.

Terminer avec une couche de lasagnes et **verser** le dernier tiers de la sauce par-dessus. **Saupoudrer** de fromage râpé.

Enfourner et **laisser cuire** 45 minutes.

Portions : 4

Salade de betteraves aromatisée aux graines d'aneth

Ingrédients

5 grosses **betteraves**

1 gousse d'**ail**

½ **oignon rouge**

1 petite botte de **persil** frais

15 ml (1 c. à soupe) de **moutarde de Dijon**

5 ml (1 c. à thé) de **graines d'aneth**

80 ml (⅓ tasse) de **crème 15 %** M.G.

Le jus d'un **citron**

Sel et **poivre** au goût

Préparation

Préchauffer le four à 190 °C (375 °F). Pendant que le four se réchauffe, **laver** les betteraves, les **déposer** sur une plaque de cuisson avec la gousse d'ail encore enveloppée. **Déposer** au four et cuire durant environ 45 minutes, ou jusqu'à ce que les betteraves soient tendres.

Laisser refroidir les betteraves, les **peler** et les **passer** à la mandoline afin d'en **obtenir** une fine julienne. **Réserver**.

Éplucher la gousse d'ail et l'**écraser**. **Hacher** l'oignon et le persil frais. **Chauffer** légèrement les graines d'aneth dans un poêlon pour qu'elles croquent sous la dent.

Mélanger tous les ingrédients dans un bol à salade. **Ajouter** la moutarde, la crème et le jus de citron. **Saler** et **poivrer** au goût. Bien **mélanger**.

Portions : 2

Salade croquante au fenouil, à la pomme et au fromage

Ingrédients

65 ml (¼ tasse) de **pignons de pin**

1 **fenouil**

2 **pommes**

125 ml (½ tasse) de **fromage de brebis**

Préparation

Faire dorer les pignons au four à 180 °C (350 °F) et **laisser refroidir**.

Laver le fenouil et **émincer** le bulbe en petits morceaux de 1 cm (½ po). **Laver** les pommes et les **couper** en petits dés.

Retirer la croûte du fromage et **couper** ce dernier en bâtonnets. **Placer** le tout dans un saladier.

Arroser avec de la vinaigrette précédente. Remuer le tout.

Parsemer la salade de pignons de pin grillés.

Suggestion : *Garder de préférence la peau rouge ou verte des pommes pour donner de la couleur à cette salade pâlotte.*

Accompagner cette salade d'une petite vinaigrette faite de 15 ml (1 c. à soupe) d'huile d'olive et de 45 ml (3 c. à soupe) de vinaigre de pomme. Saler et poivrer.

Portions : 6

Salade de bettes à carde

Ingrédients

2 bottes de **bettes à carde**

1 **pomme** de votre choix, coupée en dés

45 ml (3 c. à soupe) de **persil** haché finement

15 ml (1 c. à soupe) de **basilic** haché finement

80 ml (⅓ tasse) d'**huile d'olive**

Le jus d'un **citron**

Sel et **poivre**

80 ml (⅓ tasse) de **graines de tournesol grillées** ou de **graines de citrouille grillées**

Préparation

Séparer les feuilles des cardes (les tiges). **Couper** les cardes en deux sur le sens de la longueur et les feuilles, en largeur. **Blanchir** les feuilles et les cardes 2 minutes dans de l'eau bouillante salée. **Passer** sous l'eau froide pour arrêter la cuisson. **Essorer**.

Émincer la bette à carde au couteau et la **mettre** dans un saladier. **Ajouter** la pomme et les fines herbes.

Verser l'huile et le jus de citron. **Saler** et **poivrer** au goût. **Mélanger**. **Garnir** avec des graines de tournesol ou de citrouille.

Portions : 4

Salade aux fraises et aux épinards

Ingrédients

65 ml (¼ tasse) de **mayonnaise**

65 ml (¼ tasse) de **yogourt nature**

15 ml (1 c. à soupe) de **jus d'orange**

15 ml (1 c. à soupe) de **sucre d'érable**

2 l (8 tasses) d'**épinards** frais, déchiquetés

250 ml (1 tasse) de **fraises** coupées en tranches

65 ml (¼ tasse) d'**amandes grillées**

Sel et **poivre**

Préparation

Dans un saladier, **mélanger** la mayonnaise et le yogourt. **Ajouter** le jus d'orange et le sucre d'érable, puis **saler** et **poivrer**. **Mélanger** de nouveau. **Ajouter** les épinards et **touiller** délicatement.

Séparer la salade en quatre portions et **ajouter** le quart des fraises à chacune d'elles. **Parsemer** d'amandes grillées et **servir**.

Salades

—————————— Portion : 1 ——————————

Salade sucrée au saumon

Ingrédients

100 g (4 oz) de **saumon** cuit et refroidi

125 ml (½ tasse) de **jeunes pousses d'épinards**

10 **noix de Grenoble**

10 **raisins verts**

1 **pomme rouge** en dés

7,5 ml (½ c. à soupe) de **moutarde de Dijon**

15 ml (1 c. à soupe) de **sirop d'érable**

7,5 ml (½ c. à soupe) de **jus de citron**

37,5 ml (2 ½ c. à soupe) d'**huile d'olive**

Préparation

Dans un grand saladier, **mélanger** les épinards, les noix, les raisins et la pomme.

Dans un petit bol, **fouetter** la moutarde de Dijon avec le sirop d'érable et le jus de citron. **Ajouter** l'huile en filet et **continuer** de fouetter.

Émietter le saumon sur la salade et **arroser** de vinaigrette. **Servir** immédiatement.

Portions : 2

Salade thaïe de nouilles de riz aux crevettes et pamplemousse

Ingrédients

1 **pamplemousse**

4 brins de **ciboulette**

5 branches de **coriandre**

5 branches de **menthe**

1 gousse d'**ail**

1 petit **piment**

5 ml (1 c. à thé) de **sucre**

30 ml (2 c. à soupe) de **sauce nuoc-mâm**

3 **limes**

225 g (8 oz) de **nouilles de riz**

20 **crevettes**

15 ml (1 c. à soupe) d'**huile de canola**

30 ml (2 c. à soupe) de **graines de sésame**

Sel et **poivre**

Préparation

Peler le pamplemousse et le **défaire** en quartiers.

Hacher les feuilles de ciboulette, de coriandre et de menthe. **Mélanger**.

Éplucher et **hacher** l'ail. **Émincer** le piment.

Dans un bol, **mélanger** le sucre, la sauce nuoc-mâm, le jus des limes, l'ail et le piment. **Réserver**.

Cuire les nouilles selon les indications du fabricant. Une fois qu'elles sont cuites, les rincer à l'eau froide et les **mélanger** avec les quartiers de pamplemousse et les herbes hachées.

Dans une poêle, **faire revenir** les crevettes dans l'huile. **Saler** et **poivrer**.

Une fois refroidies, les **ajouter** aux nouilles et **verser** le mélange réservé par-dessus le tout

Parsemer de graines de sésame grillées.

Suggestion : *Remplacer les graines de sésame par des arachides grillées et hachées grossièrement ou des noix de cajou salées.*

Accompagnements

Portions : 4 à 6

Chou-fleur caramélisé à l'orange et à l'érable

Ingrédients

1 **chou-fleur** divisé en bouquets

1 **orange**

45 ml (3 c. à soupe) de **sirop d'érable**

15 ml (1 c. à soupe) de **graines de moutarde** entières

Une noix de **beurre**

Sel et **poivre**

Préparation

Faire bouillir dans l'eau salée les bouquets de chou-fleur jusqu'à ce qu'ils soient tendres mais encore fermes, soit de 5 à 7 minutes.

Refroidir rapidement le chou-fleur dans un bac d'eau glacée. Bien **égoutter**.

Prélever le zeste et le jus de l'orange. **Réserver**.

Dans une poêle, **cuire** à feu moyen la noix de beurre, les graines de moutarde et le zeste d'orange. **Cuire** de 1 à 2 minutes. **Ajouter** le chou-fleur et le sirop d'érable. **Poursuivre** la cuisson 3 minutes à feu élevé.

Ajouter le jus d'orange. **Cuire** jusqu'à ce qu'il n'y ait presque plus de liquide, soit de 3 à 5 minutes.

Portions : 6

Légumes racines laqués à l'érable

Ingrédients

1 grosse **patate douce**, pelée et coupée en cubes ou en julienne (l'important est que tous les légumes soient coupés en morceaux de la même grosseur)

3 **pommes de terre**, pelées et coupées

4 **carottes**, pelées et coupées

2 **panais**, pelés et coupés

1 **navet**, pelé et coupé

1 ou 2 **oignons** coupés en 8 quartiers

5 à 6 gousses d'**ail** en chemise

30 ml (2 c. à soupe) d'**huile d'olive** (ou de canola)

15 ml (1 c. à soupe) d'**origan** ciselé

2 branches de **thym** ciselé

1 branche de **romarin** ciselé

45 ml (3 c. à soupe) de **sirop d'érable**

15 ml (1 c. à soupe) de **moutarde de Dijon**

10 ml (2 c. à thé) de **vinaigre balsamique**

15 ml (1 c. à soupe) d'**huile d'olive**

Sel et **poivre**

Préparation

Préchauffer le four à 190 °C (375 °F).

Disposer tous les légumes, y compris les gousses d'ail, sur une grande plaque allant au four tapissée de papier d'aluminium. **Saupoudrer** d'origan, **ajouter** le thym et le romarin, **assaisonner** et bien **mélanger**. **Enfourner** et **faire cuire** 30 minutes.

Pendant ce temps, **préparer** la sauce, en mélangeant bien, dans un petit bol, le sirop d'érable, la moutarde, le vinaigre et l'huile. **Assaisonner** si désiré.

Après les 30 minutes de cuisson, **napper** les légumes de la sauce et bien **mélanger**. **Remettre** au four 30 minutes et **brasser** les légumes 2 ou 3 fois au cours de la cuisson.

Desserts

Portions : 8

Gâteau au chocolat sans farine au gingembre confit

Ingrédients

4 œufs

160 ml (⅔ tasse) de **chocolat noir** en morceaux

315 ml (1 ¼ tasse) d'**amandes** réduites en poudre

250 ml (1 tasse) de **sucre à glacer** tamisé

125 ml (½ tasse) de **beurre**

65 ml (¼ tasse) de **gingembre** confit coupé en petits morceaux

Préparation

Séparer les jaunes des blancs d'œufs. Puis, dans un bol en verre ayant préalablement été mis au congélateur une dizaine de minutes, **monter** les blancs en une neige ferme.

Faire fondre le chocolat et le beurre au bain-marie.

Dans un bol, **mélanger** les amandes moulues, le sucre et le gingembre confit. **Verser** le chocolat sur les ingrédients secs et **mélanger**.

Incorporer les blancs d'œufs graduellement en pliant délicatement.

Verser dans un moule à pain, puis **déposer** dans le four encore froid. **Régler** la chaleur à 125 °C (environ 250 °F) et **surveiller** le gâteau. La cuisson est bonne lorsqu'il se décolle des bords mais que son centre est encore moelleux.

Portions : 8

Poires pochées à la bière blanche et à l'anis étoilé

Ingrédients

250 ml (1 tasse)
de **bière blanche**

125 ml (½ tasse)
de **sucre**

1 **anis étoilé**

1 gousse de **vanille**

1 bâton de **cannelle**

Le zeste de
¼ d'**orange** et de
1 **citron**

4 **poires** pelées

120 ml (8 c. à soupe)
de **coulis de
framboises** du
commerce

120 ml (8 c. à soupe)
de **crème glacée**

60 ml (4 c. à soupe)
d'**amandes** effilées

Préparation

Dans une casserole, **porter** à ébullition la bière,
le sucre, l'anis, la vanille, la cannelle et les zestes.

Déposer les poires dans le liquide et **cuire**
jusqu'à ce qu'un couteau s'insère facilement
dans la chair.

Couper les poires en 4 et les **évider** à l'aide
d'une cuillère parisienne.

Réduire le jus de la cuisson des poires jusqu'à
ce qu'il ait la consistance d'un sirop. **Passer**
au chinois.

Garnir les poires du coulis de framboises,
de crème glacée et d'amandes effilées.

Boissons

—— Portions : 4 à 6 ——

Lait frappé aux pêches et aux bleuets

Ingrédients

500 ml (2 tasses) de **pêches** tranchées

175 ml (¾ tasse) de **bleuets**

250 ml (1 tasse) de **lait** 1 ou 2 % M.G.

175 ml (¾ tasse) de **yogourt** 2 % M.G. ou moins (nature, à la vanille ou aux pêches)

15 ml (1 c. à soupe) de **sirop d'érable**

Préparation

Au mélangeur ou au robot culinaire, **réduire** les fruits et le lait en purée jusqu'à l'obtention d'une consistance homogène.

Ajouter le yogourt et le sirop d'érable. Bien **mélanger**.

Servir dans de grands verres, au déjeuner ou comme collation.

Note : *Pour un effet glacé, utilisez des fruits surgelés.*

Boissons

Portions : 2

Vin chaud aux épices

Ingrédients

375 ml (1 ½ tasse)
de **vin rouge**

1 pincée de **muscade**

1 pincée de
gingembre moulu

1 pincée d'**anis**

1 pincée de **poivre**

Préparation

Chauffer le vin et les épices à feu doux, sans le **laisser bouillir**, pendant environ 5 minutes.

Servir dans une tasse en verre déjà chaude.

Portions : 8

Volcan glacé

Ingrédients

2 l (8 tasses) de
jus de canneberge

625 ml (2 ½ tasses)
de **sorbet aux framboises**

Soda nature bien froid

8 brins de **menthe**
fraîche

Préparation

Dans un grand pichet, **mélanger** le jus de canneberge et le sorbet.

Verser environ quatre parties de mélange fruité pour une partie de soda nature dans chaque verre.

Garnir chaque verre d'un brin de menthe.

Chapitre

UN PEU D'EXERCICE

Pourquoi faudrait-il que vous bougiez davantage lorsque vous entamez la deuxième moitié de votre vie ? Parce que, nous l'avons vu, vos muscles perdent du volume si vous ne les stimulez pas adéquatement. C'est aussi à cette période de votre vie que vous ressentez des raideurs plus fréquentes au niveau des ligaments et des articulations. Vous aurez peut-être même tendance à vous essouffler plus rapidement. Autant de bonnes raisons de pratiquer des activités physiques qui atténueront ces effets du vieillissement tout en vous procurant un bien-être physique et psychique.

Immobilisme = danger !

L'endocrinologue James Levine va nettement plus loin en affirmant que de rester assis trop longtemps est une « activité » mortelle. Et plusieurs travaux, dont les siens, semblent lui donner raison, puisqu'il s'en dégage que les hommes qui restent assis 6 heures ou plus par jour ont un taux de mortalité supérieur de 20 % à ceux qui ne le sont que 3 heures. Ce taux augmente même à 40 % chez les femmes. Pour montrer qu'il est possible de bouger partout, il a lui-même installé son bureau sur un tapis de course, de manière à pouvoir marcher tout en travaillant ! C'est un peu excessif, croyez-vous ? Eh bien, nous verrons plus loin qu'il est possible de faire de l'exercice à peu près partout.

Si l'activité physique peut vous aider à maintenir et même à perdre du poids, vous ne devez pas commettre l'erreur de vous lancer dans des programmes de conditionnement avec comme seul objectif de retrouver rapidement la silhouette dont vous rêvez. Si c'est le cas, vous courez à l'échec, c'est le cas de le dire!

Votre programme d'exercices doit en effet être accompagné d'un changement de vos habitudes alimentaires et être basé sur des objectifs à moyen terme (à l'échelle de mois plutôt que de jours et de semaines).

Bon à savoir

Rappelez-vous qu'un kilo de graisse renferme environ 8000 calories et que 30 minutes de marche rapide, par exemple, vous permettront d'en brûler 200, soit 1400 calories par semaine si cette activité est exercée quotidiennement. C'est déjà ça!

Enfin, méfiez-vous de ceux qui prétendent pouvoir faire disparaître votre bedaine ou vos cuisses SEULEMENT en réalisant des exercices concentrés sur ces endroits précis. Sachez-le, c'est impossible : il faudrait pour cela que les muscles de ces régions utilisent en priorité comme carburant les réserves de gras qui se trouvent autour. Or, il n'existe pas d'échanges directs entre la graisse sous-cutanée et les muscles voisins. En pratiquant un programme de conditionnement physique qui active plusieurs de vos muscles, vous réduisez l'ensemble de vos réserves de graisse réparties dans tout votre corps, mais pas uniquement celles spécifiques de votre ventre ou de vos cuisses, qui diminueront progressivement en même temps que le gras accumulé ailleurs.

La pratique d'une activité physique intensive dans le seul but de perdre rapidement du poids peut avoir sur vous les mêmes conséquences qu'une diète hypocalorique. Tous les effets bénéfiques pourraient s'envoler si vous arrêtez subitement votre programme de conditionnement.

Comment se mettre (ou se remettre) en forme?

Tout comme c'est le cas pour l'alimentation, votre décision de vous mettre ou de vous remettre en forme doit d'abord tenir compte de vos goûts et de vos capacités. Rien ne sert de vous lancer dans un programme, aussi populaire soit-il, si les activités physiques qu'il impose vous déplaisent. Il y a fort à parier, dans ce cas, que par manque de motivation et de plaisir, vous abandonniez en cours de route.

Je me suis souvent abonnée à un gym dans ma vie. Je me souviens d'une certaine période où j'étais VRAIMENT motivée : je me levais à 6 h le matin pour aller m'entraîner, avant mes cours ou le travail. J'étais bien fière... mais je n'ai pas tenu 6 semaines. Tu parles ! Trop c'est comme pas assez ! Puis, j'ai compris l'importance de me fixer des objectifs réalistes : ainsi, je vais m'entraîner SI mon horaire me le permet. Parfois, c'est 2-3 fois par semaine ; parfois, pas du tout. Dans ce temps-là, je prends au moins une marche. Le grand air fait beaucoup de bien physiquement et entre les deux oreilles...

Si, au cours des dernières années, vous avez été plutôt sédentaire ou encore si vous n'avez jamais pratiqué d'activités physiques régulières, vous auriez sans doute avantage à consulter d'abord votre médecin pour établir votre condition cardiovasculaire et définir le type d'activités appropriées pour vous. Vous pouvez, dans un premier temps, télécharger sur le web un questionnaire sur l'aptitude physique (tapez Q-AAP dans votre moteur de recherche), puis suivez les indications selon les résultats que vous aurez obtenus.

De même, tenez compte, si vous avez été actif par le passé, des blessures que vous auriez pu alors vous infliger et demandez conseil à un professionnel pour vous assurer que vos nouvelles activités ne réveilleront pas de vieilles douleurs.

Les bienfaits de l'activité

Vous réaliserez rapidement que le temps que vous consacrerez à l'exercice physique s'avérera un bon placement. En plus des bénéfices directs dont profitera votre corps, vous noterez quelques bénéfices indirects : vous dormirez mieux, vous gérerez mieux votre stress et vous retrouverez une vitalité et une énergie que vous pensiez avoir définitivement perdues. Parions que vos proches constateront aussi que vous êtes plus souvent de bonne humeur !

Votre métabolisme, lui aussi, ne s'en portera que mieux. En combinant de bonnes habitudes alimentaires à des exercices réguliers, vous parviendrez à mieux contrôler le taux de sucre de votre sang, votre tension artérielle ainsi que votre cholestérol sanguin.

Enfin, en pratiquant des exercices cardiovasculaires et de musculation, vous aurez beaucoup moins de difficulté à maintenir le poids qui vous convient et donc à vous prémunir contre les maladies chroniques dont le risque augmente après 40 ans.

Rappelez-vous que plusieurs de ces exercices peuvent s'intégrer facilement à votre cadre de vie, comme le simple fait d'emprunter les escaliers plutôt que les ascenseurs, de marcher d'un pas rapide jusqu'au travail ou de faire une course à proximité de la maison.

Faire de l'exercice : c'est possible partout !

Si l'on peut suivre des programmes d'activité physique encadrés dans un gym, par exemple, il est aussi possible de s'activer partout, y compris à la maison et au bureau (voir les exercices proposés plus loin). La journée a été dure ? En rentrant à la maison, mettez votre musique préférée et défoulez-vous en dansant… Vous serez étonné du bienfait que ce moment jubilatoire peut vous procurer !

> *Vive la musique! Il y en a toujours en bruit de fond à la maison. C'est principalement le soir après le souper qu'on lâche notre fou chez nous: on monte le volume et on se fait aller le popotin! Depuis toujours, j'aime la musique des années 1950-1960, y'a rien comme un bon vieux rock'n'roll pour vous faire lever de votre chaise et… pour aider à digérer!*

Établissez quels sont vos centres d'intérêt et intégrez-les à une activité physique. Vous aimez la photo? Planifiez des randonnées pédestres en montagne ou encore en vélo, en raquette ou en ski de fond. D'accord, c'est moins évident avec le tricot… à moins de marcher jusqu'à votre boutique de laine préférée? Faites aussi preuve d'imagination! Le but, c'est de vous faire plaisir tout en vous faisant du bien!

Vous craignez de vous ennuyer en pratiquant vos activités et vos exercices en solitaire? Informez-vous autour de vous ou auprès de votre municipalité: il existe une panoplie de regroupements créés autour d'activités, de loisirs ou de sports qui incluent une dépense physique bénéfique tout en développant vos liens sociaux. Plusieurs d'entre eux sont d'ailleurs présents sur les différents réseaux sociaux.

Attention à la répétition

Pratiquer à répétition le même type d'activités peut vous lasser quelque peu, surtout si vous détestez la routine. Qui plus est, la pratique d'une seule activité pourrait vous rendre plus vulnérable à certaines blessures dues à la répétition des mêmes mouvements. C'est le cas notamment pour le tennis ou le jogging, très exigeants pour certaines articulations. Variez vos plaisirs en alternant la pratique de vos activités d'une journée ou d'une semaine à l'autre.

Si vous possédez un tempérament compétitif mais que vous n'avez rien d'un athlète bien entraîné, faites preuve, autant que faire se peut, de modération, surtout au début de votre remise en forme. Prenez le temps de vous échauffer convenablement avant de pratiquer votre activité, aussi anodine soit-elle. Des étirements et des flexions sont fortement conseillés, même avant une séance de marche rapide.

En maintenant un certain tonus musculaire, vous vous assurez que votre corps brûlera plus facilement les calories puisque vos muscles en consomment non seulement pendant les exercices, mais continuent de le faire après l'effort. Aussi, attendez de préférence de 30 à 45 minutes après un exercice aérobique de haute intensité avant de prendre un repas complet : c'est le temps de prendre une douche et de vous préparer un repas qui répond aux besoins de votre organisme (voir la section *Quoi manger après l'effort ?* du chapitre 6, page 101).

Activités et effets

Le but est de choisir des activités que vous aimerez faire, mais aussi que vous pouvez faire!

- Activités de faible intensité

  Les activités de faible intensité comme le yoga ou le Pilates, par exemple, vous permettront de maintenir ou de redonner souplesse et élasticité à votre corps. Plusieurs d'entre elles permettent aussi d'entretenir votre sens de l'équilibre, qui a lui aussi tendance à diminuer avec les ans.

- Exercices cardiovasculaires (ou aérobiques)

  Les activités aérobiques, comme la natation, le vélo ou la course, augmenteront vos capacités à oxygéner votre métabolisme tout en fortifiant votre système cardiovasculaire. Évidemment, plus vous les pratiquerez avec énergie et vitalité, plus les effets bénéfiques augmenteront.

- Musculation

  En travaillant votre musculation, vous augmenterez votre force musculaire. Plus votre activité sera de haute intensité, plus vous stimulerez votre métabolisme et favoriserez une diminution de votre masse graisseuse. Vous raffermirez aussi votre ossature en incluant dans vos exercices des activités d'impact (comprenant des sauts, par exemple).

Choisir son gym

Pour éviter que votre expérience au gym ne soit décevante (le taux d'abandon est de 50 %), voici quelques conseils qui vous aideront à choisir le lieu où vous vous entraînerez :

- **L'emplacement.** Pour favoriser votre assiduité, il est souhaitable que le gym soit situé à 10 ou 15 minutes maximum de votre domicile ou de votre lieu de travail.

- **Les heures d'ouverture.** Elles doivent être assez souples pour que vous puissiez intégrer vos sessions dans votre routine.

- **La période d'essai gratuite.** S'il s'agit d'une première expérience, informez-vous si le gym offre une période d'essai gratuite. Vous pourrez ainsi vérifier si vous y trouvez votre compte avant de vous engager à long terme. Vous pourrez alors évaluer la gamme de services offerts, la qualité des équipements, l'ambiance qui y règne, la propreté des lieux…

- **Les sections réservées.** Si vous le souhaitez, sachez que plusieurs gyms offrent des sections réservées aux femmes, de manière à ce qu'elles se sentent moins intimidées. Il existe même des centres réservés uniquement aux femmes.

- **Le kinésiologue.** Un gym sérieux offrira les services d'au moins un kinésiologue, qui établira votre condition physique et, à partir de vos intérêts, vous guidera quant au choix des exercices les plus appropriés pour vous. Les éducateurs physiques du centre devraient être diplômés ou en formation et faire preuve de courtoisie.

- **Le permis.** Le gym doit obligatoirement posséder un permis valide émis par l'Office de la protection du consommateur (OPC) et idéalement être reconnu par la Société canadienne de physiologie de l'exercice (SCPE) ou encore la Fédération des kinésiologues du Québec.

L'adolescence a éveillé chez moi le besoin de bouger. J'ai d'abord commencé avec l'aérobique, la musique étant un bon stimulant pour moi. Je donnais même des cours sur l'heure du lunch en secondaire 3 et 4 ! Puis, vers la vingtaine, je me suis tournée vers le gym, où le vrai objectif n'était pas de défier les machines... mais d'abord de me rendre sur place.

Or, j'ai fini par voir à quel point je me sens bien quand je me donne rendez-vous avec moi-même. La paresse veut parfois me clouer à la maison, mais après mes 45-50 minutes d'entraînement, je me sens mieux à tous les niveaux ! Mon truc pour que ça marche : choisir un gym à 5 minutes de la maison. Quand chaque minute compte dans une journée, réduire la distance fait toute la différence.

Si vous fréquentez le gym en revenant du travail, assurez-vous de toujours transporter votre sac de sport avec vous le matin. Si vous devez repasser par la maison pour aller le chercher, il y a de fortes chances pour que vous vous trouviez une excuse pour ne plus ressortir !

Des activités au choix

Vous cherchez des solutions simples vous permettant de faire de l'exercice sans pour autant passer par le gym ? Voici d'abord quelques propositions d'activité, parmi les plus populaires, qui sont aussi reconnues pour avoir un impact positif sur la condition physique générale et, du même coup, sur la santé. S'il est préférable que vous vous y initiez en ayant un encadrement professionnel, vous pourrez ensuite les faire seul à la maison, la majorité d'entre eux n'exigeant pas d'investissement matériel important.

Vous trouverez dans les pages qui suivent quelques propositions d'exercices de base, plus ciblés sur vos préoccupations et que vous pourrez facilement mettre en pratique tant à la maison qu'au travail.

Le yoga

Issu de la philosophie orientale, le yoga connaît un essor constant en Occident. Peut-être parce qu'il répond au besoin de plus en plus pressant que nous avons d'échapper au rythme infernal de nos vies et aux pressions constantes auxquelles nous sommes soumis.

Il est possible de trouver dans le yoga des outils pour équilibrer et développer tous les aspects physiques et psychiques de notre être. S'il existe différentes formes de yoga, chacune poursuivant un objectif bien précis, toutes partagent cette même approche globale. Sauf exception, le yoga est considéré comme une activité physique de faible intensité.

Le « step »

Sa conception est assez simple : à partir d'une marche (step) haute de 10 à 20 cm (4 à 6 po), vous réalisez un certain nombre d'exercices qui vous permettent d'entretenir ou d'améliorer votre condition physique. Cette approche augmente vos capacités aérobiques et stimule votre système cardiovasculaire. Son avantage : comme les exercices se font sur de la musique, vous pouvez ajuster le rythme en fonction de votre condition physique.

Le Zumba

Originaire de Colombie, le Zumba s'est vite répandu en raison notamment de son côté ludique. Il s'agit en fait de réaliser des chorégraphies inspirées de danses et de musiques latines. Le Zumba améliore d'abord votre système cardiovasculaire, mais les mouvements que vous y faites tonifient aussi vos muscles des pieds à la tête. Les programmes de Zumba sont adaptés à la catégorie d'âge à laquelle vous appartenez.

Les exercices aquatiques

Le fait de pratiquer des exercices dans l'eau favorise le renforcement des muscles, une consommation accrue de calories et la stimulation du cœur. L'eau a un avantage : celui d'offrir une résistance qui vous oblige à plus d'efforts sans pour autant trop affecter vos muscles et vos tendons. Vous diminuez d'autant les risques de blessures. Ici encore, vous pouvez adapter le rythme de vos activités en fonction de votre condition physique en augmentant progressivement l'intensité. En outre, si vous détestez avoir chaud en vous exerçant, vous y trouverez votre compte, c'est certain !

Le Pilates

Les exercices que propose le Pilates visent une meilleure maîtrise du corps et de l'esprit grâce à un entraînement en souplesse et en résistance des muscles qui interviennent dans l'équilibre et la bonne posture. Vous faites ces exercices, avec lenteur et contrôle, sur des matelas ou encore des appareils spécialisés. Vous noterez, en les pratiquant, un renforcement de vos muscles, une amélioration de votre coordination générale et la décontraction de vos muscles trop tendus : vous gagnerez donc en souplesse.

Le Spinning

Le Spinning, ou cardiovélo, est un programme d'entraînement à haute intensité qui se pratique sur un vélo stationnaire au son d'une musique très rythmée. Du fait de ses exigences, ce type d'exercice ne s'adresse pas à tout le monde et exige un examen médical préalable pour pouvoir le pratiquer sans risque après la quarantaine. Surtout si vous n'avez guère été actif auparavant ! À éviter aussi si vous n'aimez pas la musique tonitruante !

Le Tae-Bo

Le Tae-Bo connaît, depuis une décennie, une popularité qui ne se dément pas. Il s'agit d'un conditionnement physique très intense s'inspirant du taekwondo, de la boxe et de l'aérobique. Ces exercices, souvent réalisés sur de la musique, favorisent le développement de votre masse musculaire et de votre cardio et vous aident à parfaire la maîtrise de votre corps.

Des exercices à faire à la maison ou au bureau

Attention !

Lors de la pratique de ces exercices, assurez-vous de ne pas bloquer votre respiration, ou le moins possible. Inspirez et expirez, les lèvres pincées, sur un rythme maîtrisé et contrôlé. Le fait de bloquer votre respiration aurait un impact négatif sur votre système cardiovasculaire ainsi que sur votre pression artérielle.

Abdominaux

- Redressements

  Allongez-vous sur le dos et fléchissez les genoux. Mettez vos mains
  sous votre tête, sans exercer de pression sur votre cou, ou mieux,
  sur vos oreilles, puis pointez les orteils. Tout en vous assurant de
  conserver le dos bien au sol, soulevez le haut de votre corps dans
  un angle d'environ 30° vers vos cuisses. Faites une pause dans cette
  position, puis relâchez. Rappelez-vous que seuls vos abdominaux
  doivent travailler lors du mouvement ascensionnel et de l'arrêt. Selon
  votre forme physique, exécutez une quinzaine de redressements à
  deux ou trois reprises, en prenant une pause entre chaque.

  Une variante un peu plus exigeante ? Allongé sur le dos, les jambes
  repliées le plus possible vers vos fesses, croisez les bras sur votre
  poitrine et regardez le plafond. Contractez alors fortement vos
  abdominaux et, en expirant, soulevez le plus possible la tête et les
  épaules du sol. Répétez idéalement de 5 à 10 fois.

- **Vélo sans vélo**

  Allongez-vous sur le dos en vous assurant que vos lombaires sont bien appuyées au sol. Mettez vos mains à la hauteur des oreilles, les coudes vers l'extérieur. Une fois bien installé, pliez les genoux et soulevez vos jambes dans un angle de 90° par rapport à votre bassin. Contractez vos abdominaux et exécutez un mouvement de pédalage en allongeant la jambe le plus loin possible vers l'avant, tout en vous assurant que votre dos ne se creuse pas, qu'il demeure bien appuyé au sol. Adoptez un rythme de pédalage lent et régulier et assurez-vous que votre respiration soit régulière. Répétez l'exercice aussi souvent que vous le pouvez en vous accordant des moments de repos.

- **Sangle abdominale**

  Allongez-vous sur le ventre et placez vos avant-bras au niveau de la poitrine. Soulevez ensuite tout votre corps en vous appuyant sur vos orteils et vos avant-bras. Contractez les fesses et rentrez le ventre de manière à ce que le dos, la tête et les cuisses soient le plus à l'horizontale possible. Gardez la position quelques secondes, relaxez et répétez l'opération.

Au bureau

- **Ventre contracté**

  Voici un exercice simple que vous pouvez pratiquer assis à peu près n'importe quand sans que vos collègues de travail ne le remarquent. D'abord, le dos bien droit, inspirez profondément en vous gonflant le ventre au maximum et gardez votre souffle environ 5 secondes. Puis, expirez, cette fois en rentrant votre nombril le plus possible. Recommencez aussi souvent que vous le pouvez. Ce faisant, vous ferez travailler le muscle profond de la sangle abdominale, le traverse. Ce muscle bien exercé vous permettra de maintenir une taille fine tout en renforçant votre dos.

- **Jambes levées**

  Toujours assis à votre bureau, assoyez-vous bien droit sur votre chaise et déposez vos mains de chaque côté de votre corps. Inspirez, puis soulevez lentement et en même temps vos deux jambes, le plus haut possible. Maintenez la posture de 5 à 10 secondes sans bloquer votre respiration, puis revenez à votre position initiale, jambes pliées, en expirant. Répétez de 10 à 15 fois. Cet exercice fort simple vous permettra de développer vos abdominaux et de raffermir vos cuisses.

  Si le fait de soulever vos jambes à l'horizontale peut attirer l'attention, vous pouvez pratiquer une variante de cet exercice. Dans la même position assise, les mains de chaque côté et les jambes repliées, soulevez simplement vos jambes de terre, sans bloquer votre respiration, et maintenez-les ainsi 10 secondes en expirant lentement. Relâchez et répétez jusqu'à 15 fois.

Cuisses et fessiers

À la maison

- ### À la même hauteur

  Placez-vous d'abord à gauche d'un banc robuste et stable ou encore d'une marche d'exercice. Commencez par un appui de faible hauteur que vous augmenterez progressivement. Posez votre pied droit sur la marche, jambe fléchie, tout en conservant le pied gauche par terre. Contractez vos abdos et tendez votre jambe droite de manière à vous redresser lentement à la hauteur de la marche. Ce redressement doit solliciter en priorité les muscles de votre jambe et de votre fessier. Reprenez la position de départ et répétez une vingtaine de fois. Passez ensuite de l'autre côté du banc ou de la marche et refaites la même opération. Notez que plus votre mouvement lors du redressement et du retour à la position initiale est lent, plus vous solliciterez votre sens de l'équilibre.

Vos fessiers seront d'autant plus sollicités si vous vous appuyez davantage sur votre talon lorsque vous vous soulevez de terre. De même, comme c'est le cas dans presque tous les exercices de ce genre, assurez-vous de toujours maintenir votre dos bien droit.

- **Position assise**

Si vous pratiquez ce type d'exercice pour la première fois, vous auriez avantage à le réaliser en maintenant d'abord vos deux pieds au sol. Espacez-les légèrement, puis fléchissez les jambes de manière à rapprocher votre corps le plus près possible du sol, comme si vous cherchiez à vous asseoir sur une chaise basse. Durant le mouvement, vos genoux ne doivent pas glisser vers l'avant, mais demeurer dans le prolongement de vos pieds. Gardez la poitrine dégagée et le dos le plus droit possible. Reprenez votre position de départ, puis recommencez l'exercice.

Après un certain temps, vous pourrez refaire le même exercice mais en ne conservant cette fois qu'un pied au sol lors du fléchissement. Les muscles ciblés seront d'autant plus sollicités et vous travaillerez du même coup votre sens de l'équilibre.

- **Pont-levis**

  Dans un premier temps, allongez-vous sur le dos et fléchissez vos jambes en les ramenant vers vos fesses. Assurez-vous que vos pieds sont bien à plat au sol et allongez vos bras le long de votre corps. Contractez ensuite vos abdos et décollez vos hanches du sol. Conservez vos abdos le plus contracté possible et soulevez une de vos jambes en vous assurant de garder votre bassin de niveau. Tenez la position de 3 à 5 secondes, puis redéposez votre pied puis vos hanches au sol. Recommencez en alternant le pied que vous soulevez du sol.

- **Jambes menottées**

  Assoyez-vous sur le sol et ramenez vos jambes vers vous en fléchissant les genoux. Posez vos mains sur l'extérieur de ces derniers et exercez une pression avec vos mains et vos bras pour empêcher que vos genoux s'écartent. Maintenez chaque fois la pression au moins 6 secondes et répétez une dizaine de fois.

Au bureau

- Flexion des jambes

  Cet exercice sera plus discret si vous le faites dans un bureau fermé, ou pendant que votre collègue de cubicule est allé chercher son café! Placez-vous d'abord derrière votre chaise, le dos bien droit, contractez vos abdominaux et accroupissez-vous en ouvrant les genoux vers l'extérieur. Réalisez une dizaine de flexions et répétez entre cinq et dix fois en prenant une pause entre chaque série. Lorsque vous aurez pris de l'assurance, n'utilisez plus la chaise comme appui.

- Intérieur des cuisses

  Pour raffermir l'intérieur de vos cuisses, assoyez-vous sur une chaise droite, les mains posées de chaque côté de vos cuisses. Soulevez légèrement les pieds, puis ouvrez et refermez les jambes une vingtaine de fois. Recommencez l'exercice aussi souvent que vous le pouvez.

Bras, épaules et poitrine

- **Toucher le ciel**

  Ne négligez pas les exercices d'assouplissement pour la partie supérieure de votre corps. Levez les bras au-dessus de votre tête tout en gardant le buste droit et le bassin immobile. Croisez vos mains, puis inspirez et expirez doucement en poussant les paumes de vos mains, comme si vous vouliez toucher le plafond. Recommencez, cette fois en vous penchant sur un côté et en maintenant l'étirement au moins 5 secondes. Relâchez et recommencez en vous penchant de l'autre côté. Inspirez par le nez et expirez par la bouche. Cet exercice, en plus d'assouplir vos bras et vos épaules, pourrait vous aider à prévenir d'éventuels maux de dos.

- **Haltères désaltérants**

  Voilà une façon fort simple de renforcer vos biceps et triceps… Utilisez simplement votre bouteille d'eau comme haltère lorsque vous êtes en train de lire ou encore lorsque vous êtes au téléphone. Soulevez-la de bas en haut, puis exercez une résistance musculaire au moment de baisser le bras.

- **Flexions sur le mur**

  Tenez-vous debout à portée de bras du mur. Appuyez-y la main à la hauteur de vos épaules, croisez vos jambes tout en conservant votre corps bien droit, les fesses rentrées. Pliez progressivement votre bras, puis redressez-vous en le retendant. Recommencez en utilisant votre autre bras. Faites cet exercice au moins cinq fois pour chacun de vos bras.

- **Bonne pression**

  Pour raffermir votre poitrine, joignez vos mains à sa hauteur, paume contre paume, les coudes soulevés et alignés. Inspirez puis exercez la plus forte pression possible sur vos mains pendant une dizaine de secondes, relâchez cinq secondes en expirant. Recommencez de dix à quinze fois.

Mollets

À la maison ou au bureau

Une solution simple pour vous développer des mollets fermes et robustes : chaque fois que vous le pouvez, levez-vous pour réaliser des activités plutôt que de les faire en restant assis (téléphone, pause, même regarder la télé). Rentrez votre ventre, tenez-vous droit et mettez-vous en extension sur la pointe de vos pieds pendant au moins dix secondes. Répétez aussi souvent que possible ! Après un certain temps, vous pouvez complexifier l'exercice en vous tenant d'abord en équilibre sur vos talons puis en passant sur la pointe de vos pieds. En répétant l'exercice, vous améliorerez aussi votre équilibre.

Sauf pour les exercices au bureau, où votre choix sera plus limité, choisissez toujours de bonnes chaussures et des vêtements amples qui favorisent vos mouvements. Les jeans serrés sont à proscrire !

Auriez-vous l'idée de cuisiner sans ustensiles ? Eh bien pour faire de l'exercice, il faut être équipé au minimum. Je ne parle pas nécessairement d'appareils et de poids, mais au moins d'un tapis de yoga qui vous évitera des blessures au dos (des redressements sur un plancher de bois ? Aïe !) et d'une tenue réservée à votre activité. Enfiler ses vêtements de sport permet d'avoir le bon état d'esprit pour s'activer. À l'inverse, s'habiller « en mou » aide à se relaxer. Maintenant... amusez-vous bien !

Pour en savoir plus sur des exercices faciles à faire au bureau, procurez-vous le livre *En forme de 9 à 5*, de Shirley Archer, Éditions Caractère (2014).

Références

Nos remerciements chaleureux à Mme Kim Arrey et M. Florian Bobeuf pour avoir partagé leurs expertises lors de la révision de ce livre.

Kim Arrey, diététiste-nutritionniste, B.Sc., Dt.P.
kimarrey.com/fr/

Florian Bobeuf, Ph. D., Coordonnateur de recherche
Laboratoire en Activité Physique et Maladies Pulmonaires
Centre de recherche de l'Hôpital du Sacré-Cœur de Montréal
santesportperformance.com/

Agence de la santé publique du Canada
phac-aspc.gc.ca

Société canadienne du cancer
cancer.ca

Association canadienne du diabète
diabetes.ca

Fédération des kinésiologues du Québec
kinesiologue.com

Association des nutritionnistes cliniciens du Québec
ancq.org/

Association pour la santé publique du Québec
aspq.org

Chaire de recherche sur l'obésité de l'Université Laval
obesite.ulaval.ca

ÉquiLibre, Groupe d'action sur le poids
equilibre.ca

Fondation des maladies du cœur
fmcoeur.qc.ca

Guide alimentaire canadien
hc-sc.gc.ca/fn-an/food-guide-aliment/index-fra.php

Institut national de santé publique du Québec
inspq.qc.ca

Kino-Québec
kino-quebec.qc.ca

Le Réseau canadien pour la santé des femmes
cwhn.ca (site majoritairement en anglais)

Ordre professionnel des diététistes du Québec
opdq.org

Ostéoporose Canada
osteoporosecanada.ca

Canadian Obesity Network
obesitynetwork.ca

Santé Canada
hc-sc.gc.ca

Ministère de la Santé et des Services sociaux
msss.gouv.qc.ca

Votre poids santé (associé aux Producteurs laitiers du Canada)
votrepoidssante.ca